Coma & fique em **forma**

JOYCE MEYER

Coma & fique em forma

Controle seu peso de maneira simples, espiritual e satisfatória

Belo Horizonte

Diretor
Lester Bello

Autora
Joyce Meyer

Título Original
Eat and Stay Thin

Tradução
Maria Lucia Godde / Idiomas & Cia

Revisão
Idiomas & Cia / Silvia Calmon / Ana Lacerda /Fernanda Silveira

Diagramação
Julio Fado

Design capa (adaptação)
Fernando Duarte

Impressão e Acabamento
Promove Artes Gráfica

BELLO PUBLICAÇÕES

Endereço - Rua Vera Lúcia Pereira,122 Bairro Goiânia - CEP 31.950-060 Belo Horizonte - Minas Gerais MG/Brasil -
Tel.: (31) 3524-7700
contato@bellopublicacoes.com.br
www.bellopublicacoes.com.br

Publicado pela
Bello Comércio e Publicações Ltda-ME
com a devida autorização de
Hachette Book Group e todos
os direitos reservados.

Primeira Edição – Agosto 2011
Reimpressão – Abril 2013

Exceto em caso de indicação em contrário, todas as citações bíblicas foram extraídas da Bíblia Sagrada Nova Versão Internacional (NVI), 2000, Editora Vida. As seguintes versões foram traduzidas livremente do idioma inglês em função da inexistência de tradução no idioma português: *The Message, AMP e KJV*. Todos os itálicos e negritos nos versículos são da autora e não constam no original. As palavras enfatizadas pela autora nas citações bíblicas estão em itálico. Essa ênfase não aparece na fonte original das citações bíblicas.

CIP-BRASIL. CATALOGAÇÃO NA FONTE

Meyer, Joyce
M612 Coma e fique em forma: controle seu peso de maneira simples, espiritual e satisfatória / Joyce Meyer; tradução de Maria Lúcia Godde/ Idiomas e Cia. – Belo Horizonte: Bello Publicações, 2013.
192p.
Título original: Eat & stay thin: simple spiritual, satisfying weight control.

ISBN: 978-85-61721-74-9

1. Dieta de emagrecimento. 2. Hábitos de saúde. 3. Hábitos alimentares. I. Título.

CDD: 613.25 CDU: 613.21

Sumário

Nota ao Leitor

Este livro contém sugestões práticas para se perder peso, somadas ao ensino da Palavra de Deus. Antes de fazer mudanças em sua dieta ou começar um programa de exercícios, é muito importante consultar seu médico em primeiro lugar.

Além disso, busque a Deus para descobrir o curso de ação específico que Ele quer que *você* tome. O Senhor pode dizer a uma pessoa para jejuar, como Ele fez comigo em determinado momento por uma razão específica, mas pode não querer que *você* jejue quando começar a mudar seus hábitos alimentares. O Senhor a direcionará quanto à forma mais eficaz para seu caso. Esteja aberta à direção Dele.

★

As dietas e outras ideias para a perda de peso incluídas neste livro não têm a intenção de substituir o aconselhamento médico. É necessário consultar seu médico no que se refere às questões concernentes à sua saúde, especialmente quanto a quaisquer condições especiais que possam exigir cuidados médicos, antes de iniciar este ou qualquer outro programa de controle de peso.

Analisei o livro *Coma e Fique em Forma* e achei-o excelente. Acredito que se você seguir os princípios contidos neste livro e ouvir o que Deus diz, chegará ao peso certo para você.

Dra. Yvonne Goetsch
Assistência Médica Familiar
Tulsa, Oklahoma

Introdução:

Libertação do Cativeiro!

Introdução:

Libertação do Cativeiro!

A fim de experimentarmos ao máximo o plano maravilhoso que Deus tem para nós — a vida abundante que Jesus veio a Terra para nos dar (João 10:10) — é importante sermos livres de qualquer forma de cativeiro, e da condenação gerada por ele. Deus não quer que sejamos escravos de nada.

Esteja essa escravidão sob a forma de comer em excesso ou de manter determinado peso, ou ainda de sempre reagir às circunstâncias com raiva ou medo, Deus preparou uma maneira de nos tornarmos livres por intermédio de Seu Filho Jesus. A Bíblia nos diz: "Portanto, se o Filho os libertar, vocês de fato serão livres" (João 8:36).

Há uma grande necessidade de libertação na área da escravidão à comida. As pessoas que estão acima do peso tentam perder alguns quilos, depois se esforçam para manter certo peso quando (ou se) o atingem. Aqueles que estão abaixo do peso se esforçam para ganhar. Muitas pessoas magras, assim como as que estão acima do peso, vivem escravas da preocupação com a comida — planejando exatamente o que vão comer, quanto e quando — para manter suas medidas. Muitos têm dificuldades nessa área por anos, alguns, desde que se entendem por gente.

Uma das primeiras áreas em que Deus me libertou foi esta: tentar controlar meu peso. Tenho o peso certo para a minha estrutura agora, mas durante a maior parte da minha infância e dos primeiros anos de minha vida adulta, eu sempre estava de 9 a 11 quilos acima do peso e continuei lutando contra 4 a 11 quilos a mais durante anos.

Passei minha infância sem gostar da minha aparência, sem me sentir bem comigo mesma e abrigando pensamentos desse tipo. Estar acima do peso se tornou ainda mais doloroso para mim durante minha adolescência e na faixa dos vinte e poucos anos. Eu me sentia como se não fosse bonita e não tivesse uma boa aparência. Eu não era convidada para sair muito porque era a garota que só era convidada se não restasse mais ninguém. Essa é uma experiência muito difícil de vivenciar, então entendo como se sentem as pessoas que têm dificuldades nessa área.

Primeiro eu era escrava da necessidade de perder peso, depois, quando o perdia, ficava escrava da necessidade de mantê-lo. Tentava todas as dietas e programas possíveis e imagináveis até que finalmente descobri aquele que funciona: o programa de Deus! O Senhor me levou a descobrir algumas verdades que me libertaram do controle que a comida exercia sobre mim. Como o que quero, não o que acho que devo comer, sem ganhar peso ou me privar de certos alimentos.

As pessoas que lutam constantemente contra o peso costumam sentirem-se mal consigo mesmas. Quer seja um excesso de 1, 5, 10, 20 ou 50 quilos que estejam tentando perder, ou certo número de quilos que estejam tentando ganhar, elas costumam ter pensamentos semelhantes sobre a própria aparência. Elas não gostam de sua aparência. Até 1 quilo a mais afeta a confiança de algumas pessoas porque suas roupas não caem bem. Aqueles que são escravos da comida, e depois da condenação por terem fracassado em atingir os seus objetivos quanto ao peso, não estão experimentando a paz e a alegria que Deus quer para eles na terra.

O Reino de Deus é *justiça, e paz, e alegria no Espírito Santo* (Romanos 14:17). Se você, como crente em Jesus Cristo, está vivendo em condenação, você não está tendo a paz e a alegria que Deus colocou à sua disposição por intermédio de Jesus. A condenação ficará entre você e Deus como uma muralha gigantesca, que o impedirá de receber tudo o que Ele quer lhe dar.

Romanos 8:1 nos diz: "Portanto, agora já não há condenação para os que estão em Cristo Jesus". João 3:17 afirma: "Pois Deus enviou o seu Filho ao mundo, não para condenar o mundo, mas para que este fosse salvo por meio dele".

Hebreus 4:16 nos diz como devemos nos aproximar de Deus.

> *Assim sendo, aproximemo-nos do trono da graça com toda a confiança, a fim de recebermos misericórdia e encontrarmos graça que nos ajude no momento da necessidade.*

A ajuda adequada e oportuna, que vem exatamente quando precisamos dela, é o tipo de ajuda que queremos! O início desse versículo nos diz para nos aproximarmos do trono da graça sem medo, confiantemente, e com ousadia.

Deus não quer que cheguemos diante do Seu trono com uma atitude de medo, temerosos de pedir a Ele aquilo que precisamos sem a confiança de que somos dignos de receber tudo o que Ele tem para nós. Deus nos fez dignos de receber a Sua ajuda, e quer nos ajudar! Também quer que dependamos Dele. A passagem de 2 Coríntios 12:9, falando do Senhor, diz: "... o meu poder se aperfeiçoa na fraqueza...".

Jesus morreu na cruz para nos libertar do pecado (1 Coríntios 15:3) e da condenação que ele traz. 1 João 1:9 nos diz: "Se confessarmos os nossos pecados, ele é fiel e justo para perdoar os nossos pecados e nos purificar de toda injustiça". Quando pecamos, precisamos pedir perdão a Deus e depois parar de ficarmos nos torturando por termos pecado. Quando pedimos perdão, Ele nos perdoa e também podemos perdoar a nós mesmos. Enquanto ficarmos insistindo no fato do quanto achamos que fomos inadequados, continuaremos a bloquear o que Deus tem para nós por não estarmos abertos a receber Dele.

Se você comparecer perante o trono de Deus se sentindo mal consigo mesma, não poderá receber a grande medida que Ele quer lhe dar. A condenação impedirá que você compareça com ousadia diante de Deus para obter exatamente a ajuda de que precisa para vencer o cativeiro da luta contra o peso!

Ser livre da condenação abre uma das maiores portas para todas as outras bênçãos de Deus. É importante ter confiança em quem somos em Cristo para receber todas as coisas boas que Deus tem para nós a fim de podermos obedecer a Ele e servi-lo com ousadia.

Ao lutarem contra o peso, as pessoas podem cair no engano de pensar que seu fracasso em atingir suas metas com relação ao peso as torna inaceitáveis para Deus! O nosso peso não tem nada a ver com quem somos em Cristo. As nossas fraquezas não têm nada a ver com o quanto somos aceitáveis perante Deus. Ele nos tornou aceitáveis apesar das nossas fraquezas, independentemente de quais elas sejam, e quer que deixemos que Ele nos ajude a lidar com elas.

Se nos permitirmos nos acostumar com a ideia de que o nosso valor baseia-se no quanto lidamos bem com as nossas fraquezas, vamos rejeitar e condenar a nós mesmos. E, como vimos anteriormente, a condenação nos impede de nos achegarmos a Deus com ousadia para obter a ajuda de que precisamos!

Ao examinar o assunto sobre o controle de peso, é muito importante lembrar continuamente a si mesmo que Deus ama a pessoa que está acima do peso do mesmo modo que Ele ama aquela que não está.

Deus aceita e ama você incondicionalmente. Ele a colocou na posição de justa diante Dele por meio do que Ele mesmo fez ao enviar Seu Filho. Isso aconteceu quando você simplesmente aceitou essa salvação como sendo o que ela é: um dom gratuito (ver 1 Coríntios 1:30; Romanos 5:17; Efésios 2:8-9; Romanos 10:9-10).[1*]

Deus ama você independentemente do seu peso, mas Ele quer que você tenha o peso certo para que possa atuar no seu desempenho máximo. Ele quer que você cuide do seu corpo para ter uma boa saúde. Se você acabar com o corpo que tem, não terá outro reservado em uma gaveta para substituí-lo!

Por muito tempo eu tive o desejo em meu coração de apresentar uma mensagem especial sobre por que as pessoas estão acima do peso ou comem em excesso. Certo dia, em poucos minutos, Deus me deu uma lista de motivos. Anotei-os em um de meus recibos de depósito bancário — enchen-

---

[1*] Para receber Jesus como seu Salvador, faça a oração presente no fim deste livro "Oração por Um Relacionamento Pessoal Com o Senhor".

do a parte da frente e a de trás. Este livro baseia-se nessas razões. Você poderá reconhecer uma ou várias delas como a razão, ou as razões, pelas quais a comida, ou alguma outra coisa, está em desequilíbrio na sua vida, Mas é importante que você peça a Deus para lhe mostrar o motivo específico ou os motivos (além daqueles que parecem óbvios) pelos quais você está tendo problemas nessa área.

João 8:31,32 diz:

> *Disse Jesus aos judeus que haviam crido nele: "Se vocês permanecerem firmes na minha palavra, verdadeiramente serão meus discípulos. E conhecerão a verdade, e a verdade os libertará".*

Quando Jesus revela uma verdade a você, essa verdade irá libertá-lo. Minha gerente geral, Roxane, pesa apenas 43 quilos, mas ela descobriu uma verdade sobre os seus hábitos alimentares que a libertou de uma forma de cativeiro.

Peça a Deus para lhe mostrar a verdadeira razão pela qual você come em excesso ou tem dificuldades com o seu peso.

Roxane e seu marido Paul vivem conosco. Meu marido Dave e eu viajamos bastante, e quando estamos fora de cidade, Roxane e Paul cuidam da nossa casa e do nosso escritório. Roxane tem bons hábitos alimentares agora, mas quando o casal se mudou para a nossa casa, ela não comia no horário em que todos comiam, ou comia lanches nada saudáveis mais tarde, em vez de fazer uma refeição.

Às vezes ela passava o dia inteiro sem comer. Então, durante o jantar, dizendo que não estava com fome, ela beliscava a comida e a empurrava para lá e para cá dentro do prato. Mas assim que todos terminavam de comer, ela começava e comia toda a sua comida. Às vezes, em vez de jantar, ela comia um saco de batatas chips ou meio saco de rosquinhas.

Roxane me disse que depois que ela e Paul se casaram, ela fazia uma boa refeição para ele e basicamente sempre agia da mesma forma. Comia um pouco durante o jantar, mas depois que ele terminava, então ela realmente começava a comer. Eu não entendia por que ela comia assim e ela também não. Para descobrir o motivo, Roxane foi à presença de Deus e perguntou a Ele.

Deus mostrou a ela que durante a sua infância, sempre havia brigas na hora das refeições. Por causa disso, ela associou a alimentação com perturbação e não tinha vontade de comer em um ambiente familiar.

Em outra ocasião, quando ela e uma de suas irmãs estavam falando sobre o hábito de Roxane de não comer quase nada além de barras de chocolate recheadas e outros tipos de lanches na escola e na faculdade, elas descobriram outro motivo para os estranhos hábitos alimentares de Roxane. Elas lembraram que a maioria dos momentos agradáveis com a família acontecia nos fins de semana. Toda a família, com dezesseis filhos, se sentava na sala de visitas, assistia à tevê e comia pipoca no sábado à noite, e no domingo comiam doces que seu pai saía para comprar para eles naquele dia. Deus mostrou a elas que os principais momentos em que elas ligavam o prazer ao alimento eram nos fins de semana, quando comiam bobagem e se divertiam juntos.

Quando Roxane entendeu o motivo dos seus estranhos hábitos alimentares, ela disse: "Bem, eu não preciso mais comer desse jeito!", e começou imediatamente a fazer suas refeições com todos e a escolher alimentos mais nutritivos.

Muitas vezes, quando enxergamos a verdade, também conseguimos ver uma simples mudança que podemos fazer para corrigir um problema, ou descobrimos que o problema e a solução para ele são muito menos complicados do que imaginávamos. Como vemos em 2 Coríntios 11:3, o diabo gosta de complicar nossa vida para nos manter distraídos, e para nos impedir de ver a simplicidade que está em Cristo: "O que receio, e quero evitar, é que assim como a serpente enganou Eva com astúcia, a mente de vocês seja corrompida e se desvie da sua sincera e pura devoção a Cristo".

As pessoas que estudam os princípios da boa nutrição às vezes se veem impotentes para colocar esses mesmos princípios em ação de forma eficaz em sua vida. Muitas pessoas que tentam seguir diferentes dietas descobrem que são impotentes para manter todas as regras e normas, ou seguem a dieta rigidamente, mas sem ver os resultados permanentes que desejam.

Em vez de tentarmos à própria força seguir uma lista de regras e regulamentos para controlar o nosso peso, podemos controlar o problema da alimentação da mesma maneira que resolvemos todos os nossos outros problemas: extraindo o poder do Espírito Santo e andando pela fé!

O Espírito Santo sempre nos dirige em direção à vitória e à liberdade. E quando Deus nos dá um plano, esse plano vai funcionar!

Acredito que as doze razões pelas quais as pessoas comem em excesso ou estão acima do peso que são apresentadas neste livro abrirão as portas do seu entendimento. Quer Deus lhe mostre um ou vários motivos pelos quais você tem dificuldades nessa área, alegre-se com a verdade! Então, decida-se a deixar que Ele use os ensinamentos bíblicos deste livro para lhe dar a força, a sabedoria e o poder que você necessita para aplicar os ensinamentos práticos aqui contidos sobre nutrição e alimentação.

Agradeço a Deus antecipadamente porque acredito que, à medida que você ler este livro, Ele fará uma obra poderosa na sua vida para libertá-lo do cativeiro.

Deixe Jesus libertar você! João 8:36 nos diz: "Portanto, se o Filho os libertar, vocês de fato serão livres".

Parte 1

Coma Livremente

1

A Carne Quer Fazer Loucuras!

1

A Carne Quer Fazer Loucuras!

E o Senhor Deus ordenou ao homem: "Coma livremente de qualquer árvore do jardim".

GÊNESIS 2:16

GÊNESIS 2:16 FOI UMA DAS PRIMEIRAS passagens bíblicas que Deus usou para provocar uma mudança importante em minha vida quando comecei a ler e estudar a Sua Palavra. Aplicar esse versículo da Palavra de Deus trouxe vitória em uma área com a qual eu vinha lutando desde a infância — o controle do meu peso.

Quando o Senhor disse ao homem "Coma livremente de qualquer árvore do jardim", ele estava dizendo: "Você pode comer livremente de tudo que Eu coloquei aqui para você comer". Em outras palavras, somos livres para comer!

Certa vez, quando eu estava ensinando sobre esse assunto, pedi à congregação para repetir após a minha fala: "Sou livre para comer!". Foi impressionante, mas não surpreendente, ver o medo que passou por muitos dos rostos ali. Tantas pessoas que têm problemas com o peso têm medo da comida porque no passado foram dominadas pela comida em vez de dominarem sobre ela.

Elas pensam: "*Livre para comer? E se eu engordar?*".

Uma coisa que impede as pessoas de atingir ou manter o seu peso ideal é o medo. Elas estão cativas do medo sem perceber — medo de "serem gordas" e medo da comida! Quando elas têm medo de que qualquer coisa que coloquem na boca tenha o potencial de deixá-las gordas, elas preferem seguir a lista de regras e regulamentos de uma dieta do que ter liberdade. Seguindo as regras estritas de uma dieta, elas se sentem seguras de que poderão controlar seu peso. Mas geralmente é o oposto que acontece. Seus planos de dieta costumam terminar em decepção, fracasso e mais ganho de peso porque elas estão tentando "guardar" a si mesmas. Estão tentando cuidar de si mesmas à própria força em vez de extraírem forças de Deus.

O Salmo 121:5 diz: "O Senhor é o seu protetor...". Os planos Dele para nós funcionam! A maneira de se libertar de uma vida cativa à comida ou de ficar escravo de dietas é começar a aprender como seguir genuinamente a direção do Espírito Santo. Ele sempre conduzirá você à vitória e à liberdade, e não a ganhar peso. No "Programa de Dieta de Deus", você come o que quer sem ganhar peso!

Uma das principais ferramentas de Satanás é o engano. Algumas pessoas ouvem claramente e seguem a direção do Espírito Santo em outras áreas, mas não percebem que estão cativas do medo no que diz respeito ao controle do seu peso. O medo impede que elas se levantem pela fé no poder do Espírito Santo para conquistar a vitória nesta área. Sem perceber, na verdade acreditam que essa é uma área na qual seguir a direção do Espírito Santo e extrair forças do Seu poder não funciona!

MODERAÇÃO DIVINA

Quando está acima do peso, você pensa quase que constantemente no seu peso. Pequenos pensamentos sobre o assunto parecem estar pendurados na sua cabeça, seguindo você por toda parte, constantemente na sua mente. É muito difícil ouvir o que Deus está tentando guiá-lo a fazer quando você está pensando constantemente no seu peso!

Estar com excesso de peso, dependendo da gravidade desse excesso, dita em muitos casos o que você pode vestir, onde pode ir, em que tipo de cadeira pode se sentar, que tipo de carro pode dirigir, que tipo de esportes pode fazer, ou quais as atividades das quais você pode participar. Quando as suas atividades ficam restritas por causa do seu peso, você pode desenvolver todo tipo de problemas de personalidade. Você pode deixar de desenvolver relacionamentos profundos com as pessoas, e pode acabar bloqueando o que Deus está tentando lhe comunicar fazendo uso de todo tipo de mecanismos de defesa. Deus não quer que seus filhos vivam aquém daquilo que Ele planejou para eles. Ele quer elevá-lo a alturas que você nunca imaginou atingir!

Como vimos, Gênesis 2:16 nos diz: "Coma livremente de qualquer árvore do jardim". Gênesis 2:17 revela o que significa *comer livremente.*

> *Mas não coma da árvore do conhecimento do bem e do mal, porque no dia em que dela comer, certamente você morrerá.*

Ser livre não significa viver sem moderação, ou em excesso. Nos termos de Deus, liberdade não significa a possibilidade de ceder aos desejos da carne. Significa ter liberdade para ser guiado pelo Espírito Santo (Romanos 8:12-14).

De acordo com o que nos é dito na Bíblia, o Jardim do Éden era um lugar muito lindo e abundante. Ele era cheio de árvores que produziam todo tipo de frutos. Tenho certeza de que, por serem naturais, eles eram muito mais saborosos do que qualquer outra coisa que temos hoje. Por não haver corrupção na terra, tudo que vinha dela era cheio de vitaminas e nutrientes maravilhosos. Portanto, todo alimento saciava muito mais do que agora.

Gênesis 1:31 nos diz: "E Deus viu tudo o que havia feito, e tudo havia ficado muito bom...". Acredito que os frutos das árvores do jardim eram extremamente belos. A própria aparência deles os tornava atraentes aos olhos.

Nesse jardim, Deus colocou o homem e a mulher que Ele havia criado, dizendo-lhes: "Vocês podem comer livremente dos frutos de qualquer destas árvores". Então, quando Adão e Eva sentiam fome, eles apenas estendiam a mão, pegavam alguma coisa e comiam. Mas não acredito nem por um instante que eles comiam demais, porque eram dirigidos pelo Espírito de Deus.

Eles comiam quando sentiam fome. Eles paravam de comer quando se sentiam confortáveis. Entre esses momentos, eles provavelmente nunca pensavam em comida; ela nunca estava na mente deles.

Foi assim que Deus sempre planejou. A comida estava lá para ser apanhada quando necessário, mas ela não era o foco constante ou o objetivo definitivo da vida como acontece com tanta frequência hoje.

COMA BEM, SINTA-SE BEM

Deus disse a Adão e Eva: "Vocês podem comer todos os outros frutos que quiserem, mas deixem este aqui quieto". Essa é a mesma mensagem que Ele está nos dizendo hoje: "Vocês podem comer todas as coisas boas que eu providenciei para vocês, mas será melhor para vocês se deixarem certas coisas de lado".

Todos nós sabemos quais são as coisas em nossa vida que Deus nos disse para deixarmos de lado porque não são boas para nós, ou com as quais não nos damos bem. Para mim, a cafeína é uma delas.

Durante anos, tomei café comum sem problemas. Provavelmente não havia nada de que eu gostasse mais, principalmente pela manhã. Eu ficava ansiosa por me levantar cedo e passar um tempo com o Senhor com uma xícara de café quente e fresco. Eu amava o meu café.

Então, de repente, há algum tempo, percebi que a cafeína não estava mais fazendo bem ao meu organismo. Primeiro, tentei tomar a metade de café comum e a outra de café descafeinado. Quando isso não aliviou o problema, tentei diminuir o café comum e aumentar o descafeinado. Fiz tudo o que pude para me agarrar a só um pouquinho de cafeína. Por fim, precisei desistir dela completamente. O café nunca mais teve o mesmo paladar para mim.

Estou sempre experimentando marcas e tipos diferentes de café sem cafeína, mas para mim a maioria deles nunca tem o mesmo sabor. Então Deus me mostrou que embora eu seja livre para consumir muitas coisas, café com cafeína não é uma delas.

Aprendi que a boa saúde é mais importante para mim que um bom café. Prefiro me sentir bem a me sentir péssima.

Não há nada pior que passar pela vida se sentindo mal o tempo todo. Se formos honestos, saberemos se estamos comendo as coisas certas ou não. Também saberemos se estamos carregando peso em excesso ou não. Sabemos disso porque quando comemos as coisas erradas ou ganhamos quilos a mais nós simplesmente não nos sentimos bem.

Deus colocou uma unção sobre cada um de nós, e Ele quer que atuemos nessa unção. Há algo que Ele quer que façamos. Para conseguirmos fazer isso, precisamos cuidar do nosso corpo, a casa em que habitamos. Precisamos comer e beber adequadamente, descansar o suficiente, fazer exercícios, e manter o nosso peso dentro do limite do que é certo para a nossa estrutura física.

Para sermos tudo o que Deus pretende que sejamos, precisamos primeiramente nos entregar a Ele e sermos libertos da nossa preocupação com a comida.

A COMIDA NÃO É O PROBLEMA

> *Descobri que não há nada melhor para o homem do que ser feliz e praticar o bem enquanto vive. Descobri também que poder comer, beber e ser recompensado pelo seu trabalho, é um presente de Deus.*
>
> ECLESIASTES 3:12,13

Não estou dizendo que não devemos desfrutar os alimentos. Deus quer que apreciemos o que comemos. Alimentos preparados adequadamente e comidos nas quantidades certas podem ser uma das coisas mais agradáveis que Deus nos deu.

Amo comer fora. Quando acabo de trabalhar com afinco em uma conferência, uma das coisas pela qual anseio é sair para jantar. Gosto de me sentar em um bom restaurante, relaxar e me divertir com outras pessoas. Mas não suporto sair de lá tendo comido demais a ponto de não conseguir me mexer ou até mesmo respirar.

Há muitas coisas que são uma benção quando feitas com moderação, mas que em excesso podem se tornar uma maldição. Comer é uma delas.

A comida não é o problema. É o que fazemos com a comida que se torna um problema. Por isso precisamos aprender a manter tudo na nossa vida — principalmente a nossa alimentação — em equilíbrio.

TRATE UM PROBLEMA SÉRIO COM SERIEDADE

Quando te assentares a comer com um governador, atenta bem para o que é posto diante de ti, e se és homem de grande apetite, põe uma faca à tua garganta.

PROVÉRBIOS 23:1,2

Nessa passagem, o Espírito Santo obviamente não está dizendo que se comemos demais devemos cortar a nossa garganta! O que Ele está dizendo é que se comer é um problema em nossa vida, devemos levar esse problema a sério e tratá-lo de maneira sábia.

Acredito que a comida é um problema, muito mais do que muitos de nós queremos admitir. Essa passagem das Escrituras sobre a seriedade na alimentação é como a passagem de Mateus 18:8,9, em que Jesus disse: "Se a sua mão ou o seu pé o fizerem tropeçar, corte-os e jogue-os fora... E se o seu olho o fizer tropeçar, arranque-o e jogue-o fora...".

Recentemente, alguém me falou sobre uma mulher em uma igreja que sentiu que havia pecado com os olhos por desejar alguém sexualmente, então ela realmente arrancou seu olho da cavidade ocular. Esse tipo de coisa me aborrece profundamente. Esse é o tipo de engano ao qual Satanás leva as pessoas.

Por favor, não entenda mal essa passagem da Bíblia. Nela, Jesus não estava dizendo que devemos literalmente cortar nossa mão ou arrancar nossos olhos. Ele estava usando as palavras com um sentido figurado para dizer que devemos levar o pecado a sério e tratá-lo com seriedade. Se não fizermos isso, nunca seremos completamente livres.

TENHA MODERAÇÃO

> *Quando você sair para jantar com uma pessoa influente, atente para as suas maneiras; não engula a sua comida, não fale com a boca cheia. E não se empanturre; refreie o seu apetite.*
>
> PROVÉRBIOS 23:1,2, THE MESSAGE

Nessa versão de Provérbios 23:1,2 há um título que diz "TENHA MODERAÇÃO". De acordo com o versículo 2, devemos refrear o nosso apetite. Um freio é uma contenção. Devemos refrear ou conter a nós mesmos, e não esperar que alguém o faça por nós. Podemos fazer isso com a ajuda do Espírito Santo.

NÃO MORRA — VIVA!

> *Pois se vocês viverem de acordo com a carne, morrerão; mas, se pelo Espírito fizerem morrer os atos do corpo, viverão, porque todos os que são guiados pelo Espírito de Deus são filhos de Deus.*
>
> ROMANOS 8:13,14

Fico muito contente porque não precisamos fazer sozinhos tudo que a Bíblia nos diz para fazer. Há uma vida tão maravilhosa à nossa disposição se quisermos aprender a viver no Espírito e não na carne!

A Bíblia nos diz claramente que se andarmos na carne experimentaremos todo tipo de morte. Mas se andarmos no Espírito, teremos alegria, paz, vitória e vida em toda a sua abundância. Isso acontecerá à medida que virmos o plano de Deus para nós se desenrolar e se revelar em nossa vida diária. Vale muito a pena andar no Espírito e não na carne.

A Bíblia no diz que se negarmos habitualmente as exigências que o nosso corpo faz, e dissermos "sim" ao Espírito de Deus, estaremos verdadeira e genuinamente vivos.

Você sabia que existe uma voz da carne e uma voz do Espírito? Muitas coisas que a voz da carne nos diz para fazer são simplesmente loucas. Ela nos diz para comermos quando não estamos com fome, para continuarmos comendo quando estamos satisfeitos, para comermos coisas que sabemos que vão nos deixar doentes.

Você já comeu algo ao qual sabia ser alérgico, algo que sabia que ia fazer você ter uma crise de coceira, problemas estomacais ou dor de cabeça? Por que você seguiu em frente e comeu assim mesmo? Por que você ouviu o seu corpo em vez de ouvir o Espírito?

"O espírito na verdade está pronto, mas a carne..."[1] quer fazer loucuras!

Muitas coisas que a nossa carne quer que façamos são simplesmente loucas! Quando obedecemos aos ditames da carne, comemos mesmo sem fome, repetimos quando já estamos satisfeitos, e comemos certos

alimentos que podem nos deixar doentes. Algumas pessoas chegam a comer determinados pratos mesmo tendo absoluta certeza de que terão uma reação alérgica!

Podemos viver de acordo com o que a nossa carne nos diz, ou podemos viver pelo poder do Espírito Santo, decretando morte às ordens da carne (ver Romanos 8:13,14).

É como se houvesse uma pessoa louca morando dentro de nós!

Sabemos que é verdade. Sabemos que nosso corpo fala conosco e nos diz para fazermos todo tipo de coisas estúpidas e idiotas:

"Por favor, não me faça levantar da cama". "Por favor, não me faça limpar a casa". "Por favor, não me faça ter de me exercitar". "Por favor, pare naquela loja e compre umas rosquinhas recheadas para mim". "Por favor, dê-me café com cafeína, ainda que isso vá me provocar uma crise de nervos".

Não devemos dar ouvidos à nossa mente natural. Devemos dar ouvidos ao que o Espírito de Deus nos diz. Por meio do poder do Espírito Santo em nós, precisamos aprender a dizer não a nós mesmos e sim a Deus, a fim de que a plenitude do Seu plano possa se manifestar em nossa vida.

2

O Direito de Primogenitura Vendido por um Prato de Ensopado

2

O Direito de Primogenitura Vendido por um Prato de Ensopado

Esaú chegou faminto, voltando do campo, e pediu-lhe: "Dê--me um pouco desse ensopado vermelho aí. Estou faminto!". Por isso também foi chamado Edom. Respondeu-lhe Jacó: "Venda-me primeiro o seu direito de filho mais velho". Disse Esaú: "Estou quase morrendo. De que me vale esse direito?". Jacó, porém, insistiu: "Jure primeiro". Então ele fez um juramento, vendendo o seu direito de filho mais velho a Jacó. Então Jacó serviu a Esaú pão com ensopado de lentilhas. Ele comeu e bebeu, levantou-se e se foi. Assim Esaú desprezou o seu direito de filho mais velho.

Gênesis 25:30-34

O que Esaú estava realmente dizendo? "Estou com tanta fome que sinto que vou cair morto. Por favor, dê-me um pouco desse ensopado porque preciso dele para viver".

Jacó respondeu: "Eu lhe dou o ensopado se você me der o seu direito de primogenitura em troca".

Hoje em dia os direitos do primogênito não são considerados como nos tempos bíblicos. Naquela época, o filho primogênito recebia porção dobrada da herança e passava a ser o chefe da família. Os direitos do primogênito não eram alguma coisa de que alguém quisesse abrir mão com facilidade. Mas Esaú estava disposto a vender o seu direito de primogenitura por um prato de ensopado — só porque o seu corpo estava gritando "Quero alguma coisa para comer! Vou morrer se você não me alimentar!".

Você percebe o quanto Esaú foi tolo? Definitivamente ele não poderia morrer de fome em um dia. Esaú permitiu que o seu corpo lhe desse ordens, e o resultado foi a perda do seu maior bem.

O REINO DE DEUS NÃO É COMIDA

"Pois o Reino de Deus não é comida nem bebida, mas justiça, paz e alegria no Espírito Santo".

ROMANOS 14:17

Creio que muitos de nós hoje vendemos o nosso direito de primogenitura por um prato de ensopado ou por uma caixa de rosquinhas ou uma pizza.

O que eu quero dizer com isso?

Como filhos de Deus, temos alguns direitos. Por exemplo, como vemos neste versículo, temos o direito à justiça, à paz e à alegria no Espírito Santo. Mas muitos de nós que lutamos contra o peso o tempo todo, experimentamos não uma sensação de justiça, paz e alegria, mas um sentimento de condenação.

Posso ganhar 1 quilo e 300 gramas e me sentir condenada por isso, o que também afeta minha autoconfiança. O meu aumento de peso me faz pensar constantemente no quanto preciso perder e como vou fazer isso. Antes que eu me dê conta, a comida está o tempo todo no meu pensamento...

Não é necessário estar 50 quilos acima do peso para que a comida se torne um problema. Há muitas pessoas magras que precisam sempre lidar com esse problema. Isso acontece porque hoje vivemos em uma sociedade voltada para a comida — e os cristãos são os piores "viciados em comida" do mundo! Dificilmente conseguimos nos reunir sem comer.

Uma amiga está tentando controlar seu peso, mas tem muita dificuldade em fazer isso por causa do seu ministério. Quando se é um pregador, todos querem convidá-lo para comer depois dos cultos, seja em um restaurante ou mesmo uma refeição caseira na casa de alguém.

Ela disse algo muito interessante: "Sei que em todos os lugares aonde vou ministrar, para os que estão na reunião aquela é uma ocasião especial. Depois, eles querem comemorar com algum tipo de refeição sofisticada ou uma sobremesa deliciosa. Mas, para mim, é apenas mais uma reunião, como aquelas onde estou todas as noites. Sei que se eu fizer uma grande refeição ou comer uma sobremesa rica em calorias todas as vezes que pregar ou ministrar, vou acabar evidenciando isso em quilos a mais!".

Anos atrás, meu marido e eu decidimos que, quando formos a algum lugar para ministrar, não sairemos para comer depois do culto. Precisamos dizer às pessoas: "Não temos a intenção de ser rudes ou de ferir seus sentimentos, mas não podemos aceitar o seu convite tão gentil", por vários motivos.

Em primeiro lugar, Dave e eu agora estamos em uma idade em que precisamos ter uma noite inteira de sono. Aprendi que simplesmente não funciono bem com três ou quatro horas de sono. Para ser sincera, se eu ficar sem dormir o suficiente por algumas noites seguidas, fico doente.

Outra razão é que não durmo bem depois de uma lauta refeição. Fico me virando de um lado para o outro e tenho pesadelos. Na manhã seguinte, quando acordo, não me sinto bem. Minhas roupas não caem bem, e não me sinto à vontade comigo mesma.

Quero me sentir bem. Quero me sentir bem comigo mesma. Quero ser livre. Então decidi que não vou vender o meu direito de primogenitura por um prato de ensopado ou por um pedaço de torta ou qualquer outra coisa — mesmo que eles sejam oferecidos por pessoas ótimas de forma muito amorosa e por excelentes motivos. Embora seja difícil às vezes, aprendi a simplesmente dizer "não".

Em raras ocasiões aceitamos um convite para sair depois de um culto, mas se o fazemos é porque queremos ir, e não porque a nossa carne, ou alguém, está exigindo. Não são "liberdades ocasionais" que nos causam problemas; é permitir que a carne governe que gera escravidão e derrota.

Você é livre, tanto para seguir a direção do Espírito Santo quanto para fazer tudo o que a sua carne exige. A escolha é sua.

Dave e eu costumamos comer algo depois de um culto. Temos sempre frutas, iogurte natural, vegetais, molho e outros alimentos nutritivos e pobres em calorias no nosso quarto de hotel. Normalmente comemos cedo pela manhã antes das nossas conferências, e à noite precisamos comer alguma coisa. O problema não é comer, mas é a escolha dos alimentos e a quantidade escolhida.

SE VOCÊ SABE O QUE É BOM PARA VOCÊ...

Tudo me é permitido, mas nem tudo convém.

1 Coríntios 6:12

Como cristãos, temos o direito à paz e à alegria, e não à culpa e à condenação. Não significa que não devemos desfrutar a comida ou as outras coisas boas que Deus criou de forma tão maravilhosa, e deu a nós. Significa apenas que não devemos ser excessivamente condescendentes conosco.

Por exemplo, não é contra a lei eu tomar café. Não vou para o inferno só porque tomo um copo de café com cafeína. Não vou perder a minha salvação só porque como um pedaço de torta todas as noites na hora de dormir. Mas sei que embora essas coisas sejam lícitas para mim, elas não são *boas* para mim.

Em algum momento precisamos ficar espertos o suficiente para saber o que é bom para nós. Existem algumas coisas que podemos fazer quando somos jovens, mas com o passar dos anos não podemos mais nos dar a esse luxo.

Dave e eu temos um filho que costumava comer muitos alimentos de baixo valor nutritivo — ou *junk food* — quando era jovem. Tentamos dizer a ele inúmeras vezes: "David, por favor, não coma isso, não é bom para você".

"Ah, tudo bem", ele dizia. "Eu me sinto ótimo".

"Sim, filho", nós respondíamos, "mas você é jovem. Um dia desses quando ficar mais velho, seus maus hábitos alimentares começarão a lhe gerar problemas".

Essa é uma lição que todos nós precisamos aprender na vida. Se maltratarmos o nosso corpo, mais cedo ou mais tarde haverá um preço a pagar. O triste é que geralmente, quando nos damos conta, já causamos tantos estragos que talvez tenhamos de pagar esse preço por um longo tempo.

ANTES QUE SEJA TARDE

> *Como vocês sabem, mais tarde, quando [Esaú] quis herdar a bênção, ele foi rejeitado (desqualificado e colocado de lado); e não teve oportunidade de reparação por meio do arrependimento [do que havia feito não teve chance de alterar a sua escolha], embora tivesse buscado isso diligentemente com lágrimas amargas.*
>
> HEBREUS 12:17, AMP

Assim como Esaú, às vezes somos tão tolos que nos envolvemos com todo tipo de problema. Maltratamos nosso corpo até percebermos o que fizemos conosco, e então esperamos que Deus faça um milagre para nos tirar do caos que geramos.

Vejo isso acontecer o tempo todo quando exerço meu ministério. As pessoas abusam de seu corpo até estarem um caco, e depois vão a uma reunião como a nossa pedindo um milagre.

Deus tem misericórdia dos Seus filhos, e estou certa de que muitos deles obtêm curas milagrosas. Mas também é verdade que muitas dessas pessoas sofrem por bastante tempo antes de finalmente receberem essa cura milagrosa.

As curas milagrosas são maravilhosas, mas não é o melhor de Deus. Ele quer que Seu povo ande com sabedoria para que não tenha de passar pelo sofrimento e pela dor antes de cair em si, o que às vezes pode ocorrer tarde demais. É melhor viver com sabedoria e não precisar constantemente de milagres, do que viver de maneira inconsequente e sempre precisar de um milagre para se livrar dos problemas.

Estou compartilhando essas coisas com você porque sei do que estou falando. Não estou apenas teorizando. Tive experiências nessa área. Deus vem me curando e restaurando há algum tempo, e sou grata por essa cura e restauração. Mas esse não era o melhor de Deus para mim. O melhor Dele para mim era que eu tivesse evitado todo esse sofrimento para início de conversa. É isso que eu estou tentando ajudar você a fazer.

Não faz muito tempo, meu filho David me disse: "Sabe, mamãe, preciso parar de comer essas porcarias. Não estou me sentindo bem como me sentia antes".

Como ele ainda é jovem, ainda está aprendendo a tempo, por isso ficará bem. Não é tarde demais para desfazer o estrago que ele estava causando com seus maus hábitos alimentares.

Quando as pessoas são jovens, elas acham que sempre podem dar um jeito, e nada que fizerem lhes causará qualquer tipo de problema. Elas acham que podem comer qualquer coisa e nunca terão de pagar um preço por isso. Nessa idade, o seu metabolismo pode ser tão ativo que elas podem comer porcarias e ainda assim se sentir bem e funcionar bem. Entretanto, mais cedo ou mais tarde, essa situação muda. O triste é que às vezes eles aprendem tarde demais.

Não faz muito tempo, minha filha colocou uma roupa que ela havia ganhado. Ela costumava lhe cair bem, mas desta vez estava apertada demais nos quadris. Minha filha ficou furiosa e atirou-a no chão.

"Não vou ficar acima do peso!", ela gritou. Então ela perguntou: "O que está acontecendo com o meu corpo?".

Durante toda a vida, ela foi o tipo de pessoa que podia comer qualquer coisa que quisesse e ainda continuar magra e esbelta. Agora ela estava chegando perto dos trinta anos e as coisas haviam começado a mudar.

Obviamente, trinta anos não é um número mágico no qual todos começam a ficar acima do peso. Mas geralmente por volta dessa época há uma alteração no estilo de vida que gera mudanças no corpo.

Minha filha não está correndo por aí e fazendo tudo o que costumava fazer. Seu estilo de vida está mais sedentário agora. Ela fica muito tempo sentada, e quando começamos a fazer isso não podemos nos dar o luxo de comer tanto quanto costumávamos comer quando éramos mais ativos. Nosso metabolismo tende a ficar mais lento, fazendo com que o nosso corpo ganhe gramas a mais — geralmente nos lugares errados.

Pessoalmente notei uma mudança real em meu corpo por volta dos quarenta anos e novamente aos cinquenta. Nesses dois pontos da minha vida, adquiri 900 gramas. Eles surgiram de repente. A minha alimentação não havia mudado, mas o meu peso sim. Isso me deixou realmente frustrada por muito tempo até que finalmente encarei o fato de que meu corpo estava se transformando. O meu metabolismo provavelmente estava mudando, e se eu quisesse manter o meu peso precisaria mudar alguma coisa na minha alimentação.

Podemos fazer mudanças menores que nos ajudarão a manter o nosso peso quando chegamos aos quarenta e aos cinquenta. Eu decidi usar menos manteiga, ou em muitos casos, abrir mão dela totalmente. Também eliminei as frituras em noventa por cento das ocasiões, escolhi bebidas sem açúcar e passei a evitar comer tarde da noite.

À medida que envelhecemos, devemos esperar mudanças no nosso corpo. É por isso que é importante começarmos também a fazer mudanças no nosso estilo de vida, principalmente na nossa alimentação e nos nossos hábitos de exercícios. Precisamos começar a assumir a autoridade sobre o nosso corpo em vez de permitir que ele nos dê ordens.

3

Livre para Servir

3

Livre para Servir

Tudo me é permitido, mas nem tudo convém. Tudo me é permitido, mas eu não deixarei que nada domine.

I Coríntios 6:12

O poder de Deus está disponível para muitas áreas práticas da nossa vida.

Se não quisermos nos tornar escravos e nem sermos dominados, precisamos ser sólidos como uma rocha em nossas posições e pisar firme. Precisamos ser determinados e dizer: "Não serei escravo da comida ou da bebida — das rosquinhas, das tortas, das batatas chips, dos hambúrgueres, do café, dos refrigerantes ou de qualquer outra coisa. Vou ser livre para ser guiado pelo Espírito Santo em todas as áreas da minha vida".

Quero que você entenda que Deus se importa com você e com o seu corpo. Ele se importa com o seu apetite e com os problemas que você tem com isso. Ele quer que você saiba o que fazer para colocar o corpo e o apetite em submissão.

TODO BOM ATLETA EXERCITA A MODERAÇÃO

Ora, todo atleta que entra em treinamento se porta com moderação e se controla em todas as coisas...

1 Coríntios 9:25, AMP

Quando a Bíblia diz que um atleta se controla em todas as coisas, significa que ele exerce o domínio próprio. Ele presta atenção a tudo em sua vida que possa afetar o seu desempenho na quadra, na pista ou no campo. Quando está em treinamento, ele vigia o que come e bebe, e o quanto come e bebe. Vigia também o quanto descansa, quanto lazer ele tem e a maneira como o seu corpo responde à prática de exercícios.

A versão *King James* diz que ele é sóbrio em todas as coisas. Ser sóbrio é ser moderado.

Se quisermos estar em condições de servir ao Senhor, precisamos aprender a praticar em tudo a moderação. Precisamos exercer o domínio próprio nas nossas conversas, na nossa dieta, nos nossos gastos, no nosso tempo e em todas as áreas da nossa vida.

Para quê?

Para não sermos desqualificados na corrida da vida como não sendo aptos para o serviço.

APTO PARA O SERVIÇO

Todos os que competem nos jogos se submetem a um treinamento rigoroso, para obter uma coroa que logo perece; mas nós o fazemos para ganhar uma coroa que dura para sempre. Sendo assim, não corro como quem corre sem alvo, e não luto como quem esmurra o ar. Mas esmurro o meu corpo e faço dele meu escravo, para que, depois de ter pregado aos outros, eu mesmo não venha a ser reprovado.

1 Coríntios 9:25-27

Às vezes os cristãos leem esta passagem agem como se Paulo estivesse dizendo: "Eu *empanturro* o meu corpo!".

Paulo não está sugerindo que devemos empanturrar nosso corpo de comida. O que ele fazia era *esmurrar* o corpo — tratá-lo com severidade, disciplina-lo com tarefas duras e submetê-lo.

Para quê?

Para garantir que depois de pregar o evangelho a outros, ele mesmo não fosse considerado inapto, incapaz de passar no teste, reprovado e rejeitado.

Se quisermos estar aptos para o serviço ao Senhor e ao Seu Reino, precisamos fazer o que Paulo fez: exercer a moderação e o domínio próprio. Precisamos disciplinar o nosso corpo, mantendo-o sob o nosso comando e a nossa autoridade. Para isso, precisamos estar cientes das doze razões pelas quais as pessoas comem em excesso ou ficam acima do peso. É por isso que o restante desta mensagem não será espiritual, mas prática. Vou tentar dar a você algumas informações que salvarão a sua vida.

Parte 2
A Verdade Vai Libertar Você!

Doze Razões Pelas Quais as Pessoas Comem em Excesso

Razão 1:

Falta de Conhecimento

Razão 1:

Falta de Conhecimento

O meu povo está sendo destruído, porque lhe falta o conhecimento...

Oséias 4:6, ARA

AQUILO QUE VOCÊ NÃO SABE IRÁ LEVÁ-LA A FICAR ACIMA DO PESO!

A razão número 1 para a destruição do povo de Deus é a falta de conhecimento. Eles simplesmente não sabem — contrariando o ditado popular, que falta de conhecimento pode não só matá-lo como fazê-lo engordar. Isso se aplica às áreas naturais assim como às áreas espirituais.

Com relação à alimentação, a falta de conhecimento nos leva a fazer más escolhas. Alimentos com alto teor de gorduras, sal, calorias e colesterol são os culpados por muitas pessoas estarem acima do peso.

Explicando melhor, muitos comem em excesso ou ficam acima do peso simplesmente porque não têm a compreensão correta do que estão colocando em seus corpos. Eles se enchem de alimentos que não têm valor nutritivo e assim não saciam a sua fome realmente. O resultado é que estão constantemente procurando algo para comer porque não se sentem satisfeitas.

INFORME-SE

Pois não quero que vocês sejam ignorantes...

1 Coríntios 10:1, AMP

Se você quer evitar este problema, informe-se. Saiba o que você está colocando no seu corpo. Leia livros sobre nutrição. Estude as informações que estão no verso das caixas, pacotes e sacos onde a sua comida está embalada. A maioria dos alimentos precisa exibir essas informações para o consumidor. Aprenda a ler o que está escrito e interprete o significado.

Aprenda sobre as qualidades nutricionais dos diferentes alimentos. Coma alimentos que satisfaçam você em vez de comer grandes quantidades do que você considera "alimentos dietéticos" e que o deixam com fome.

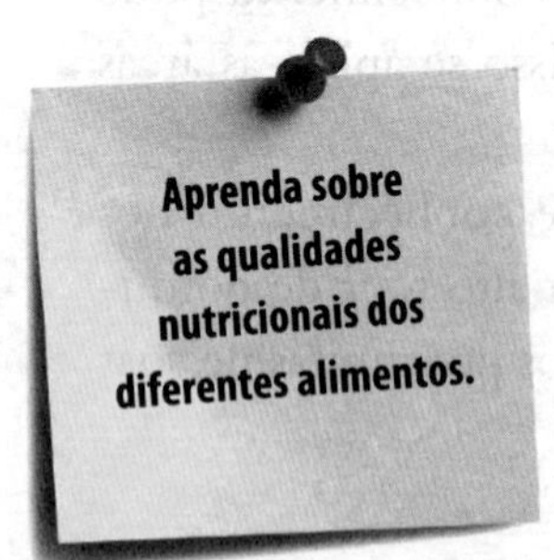
Aprenda sobre as qualidades nutricionais dos diferentes alimentos.

Em nosso ministério, recebemos muitas cestas de fruta como cortesia. Geralmente elas contêm mais do que frutas. Muitas vezes contêm doces e nozes e outros tipos de delícias misturadas com as frutas. Certa vez recebemos uma cesta de frutas onde havia uma enorme barra de chocolate recheada com um líquido sabor cereja. Em outra havia uma pequena caixa de trufas de chocolate recheadas com creme.

Eu disse à minha filha: "Vou ficar com as frutas, mas leve o resto para fora daqui. Dê para alguém".

Ela começou a ler para mim o verso das embalagens descrevendo o quanto havia de gordura e quantas calorias havia na barra de chocolate. Era mau, mas não era terrível. Então ela começou a ler o que havia nas trufas, e era chocante. Quatro pequenos pedaços de doce tinham vinte e cinco gramas de gordura!

"Espere!", eu disse a ela. "Jogue tudo fora! Seria pecado dar isso a alguém".

Eu não saberia o que havia naquele doce se ela não tivesse lido o rótulo nutricional para mim.

É impressionante a quantidade de alimentos que você irá recusar se apenas começar a ler o verso da embalagem para ver o que está prestes a colocar dentro do seu corpo. No entanto, muitas pessoas comem todo tipo de coisas e nunca sequer se incomodam em ler os rótulos. Isso é parte do que Deus quer dizer quando afirma que o Seu povo é destruído por falta de conhecimento.

Quando você for a um restaurante de *fast-food*, peça uma lista nutricional dos alimentos que estão no cardápio. Se você for consciente da sua saúde ou estiver tentando perder peso, pensará duas vezes antes de pedir aquele *cheeseburger* duplo com molho especial e todos os complementos, mais um acompanhamento de batatas fritas. Quando você descobrir que está prestes a engolir setecentas ou oitocentas calorias e sessenta e cinco gramas de gordura, você poderá simplesmente mudar de ideia.

SAIA DO CARROSSEL DAS DIETAS

(...) o homem é escravo daquilo que o domina.

2 Pedro 2:19

Quando eu era jovem, estava constantemente fazendo alguma dieta maluca. Posso lhe dizer por experiência própria que tudo que elas fazem é bagunçar o seu metabolismo. O seu corpo não sabe se vai em frente e queima o que você dá a ele ou tenta reter por não saber se vai receber algo além por uma semana ou mais.

Se você tem feito o seu corpo passar fome por um mês, sem dar a ele nenhum carboidrato, por exemplo, e de repente muda de dieta e dá a ele uma dose dessa substância, ele não saberá o que fazer. Seu corpo provavelmente dirá: "Vou reter porque talvez eu não receba mais isso".

Quando as mulheres engravidam, geralmente começam a ganhar peso, então, assim que o bebê nasce, elas costumam fazer algum tipo de dieta esquisita. Dali em diante e pelo resto da vida, elas nunca conseguem manter um peso normal e razoável, simplesmente porque o metabolismo delas está "de mau humor". Não foi ter o bebê que ocasionou problemas com o metabolismo, foram as loucuras que elas fizeram para tentar voltar a vestir o mesmo tamanho que usavam antes de engravidarem.

"Mas o que devo fazer?", você talvez pergunte.

Deve agir normalmente. Você deve fazer refeições balanceadas. Deve comer um pouco de tudo que precisa sem exagerar. Deve se exercitar para queimar o que come, para que não fique em você.

Não caia na armadilha do carrossel de dietas. Espero que você não tenha vontade de me apedrejar quando digo isso, mas creio que se precisar fazer dieta a vida inteira você estará em cativeiro.

Ora, você pode iniciar um programa de alimentação saudável e começar a aprender a ter bons hábitos alimentares. Não me oponho a isso de modo algum. Mas se você precisa pensar em comida o tempo todo, contabilizando tudo que coloca na sua boca, e se preocupando com tudo o que come, isso é cativeiro.

COMA QUANDO SENTIR FOME, EM VEZ DE PASSAR FOME

Fazer dietas nas quais você passa fome faz com que o seu metabolismo fique mais lento. Quando você volta a comer normalmente, a velocidade mais lenta do seu metabolismo fará com que ganhe peso mais depressa do que antes de começar a jejuar. Na próxima vez que você fizer dieta passando fome, o seu metabolismo cairá mais depressa ficando ainda mais lento, fazendo com que você tenha mais dificuldade em perder peso.[1]

O CATIVEIRO DAS DIETAS

Portanto, se o Filho os libertar, vocês de fato serão livres.

João 8:36

Quando fiquei grávida do meu primeiro filho, eu estava com vinte e poucos anos. Realmente não sabia como cuidar de mim mesma adequadamente. Fazia os exames médicos, e ia a um médico diferente a cada vez. Eu não estava recebendo nenhum tipo de instrução, e não entendia nada sobre estar grávida ou ter um bebê. Eu não tinha nenhuma informação sobre como deveria me alimentar. Era a pessoa mais ignorante do mundo quando o assunto era ter um bebê.

Eu estava muito angustiada porque o homem com quem eu estava casada havia me deixado e estava vivendo com outra mulher. Estava tão angustiada que não comia. Na verdade, eu estava perdendo peso o tempo todo. Sempre que eu ia ao médico e me pesava, eu sabia que não estava ganhando peso, mas ninguém me dizia nada a respeito. E eu não pensava muito nesse assunto. E pelo fato de eu estar aumentando de tamanho à medida que o bebê crescia, eu não percebia realmente que estava diminuindo em outros lugares.

Quando engravidei, eu pesava 69 quilos, e quando dei à luz, pesava 69 quilos e 250 gramas! Durante a gravidez perdi de 8 a 9 quilos! No instante em que dei à luz o bebê, naturalmente, minha barriga desinchou. Depois de dois ou três dias no hospital, saí pesando menos do que eu jamais havia pesado em toda a minha vida adulta: 61 quilos!

Fiquei em êxtase! Achei que aquela era a coisa mais maravilhosa que havia acontecido em St. Louis nos últimos tempos! Fiquei muito empolgada com a minha aparência. Nunca havia me sentido tão bem comigo mesma porque nunca havia estado tão magra. Foi muito legal, mas o problema foi que entrei em um cativeiro ainda pior do que o de tentar perder peso — o cativeiro de estar constantemente de dieta.

Até aquele momento, eu nunca havia feito uma dieta. Eu sempre soube que estava acima do peso, mas não sabia nada sobre calorias ou qualquer outra questão relacionada com ter uma alimentação adequada. Por não saber nada sobre controle de peso, isso não me incomodava. Eu simplesmente comia e ficava acima do peso porque não sabia o que fazer com a minha situação.

Depois de gostar tanto de perder aquele peso, decidi que nunca mais ficaria acima do peso — e eu tenho força de vontade. O único problema com a minha decisão foi que ela me levou para o cativeiro das dietas.

Se você nunca sofreu de uma desordem alimentar, talvez não entenda exatamente a que estou me referindo com esse termo. Mas a verdade é que não importa o quanto você e eu somos magras, se pensarmos em comida o tempo todo, estamos em um cativeiro tanto quanto se tivéssemos de contar cada caloria que entra em nossa boca.

De fato não é uma questão de magro *versus* gordo, mas de cativeiro *versus* liberdade. Deus não quer que Seus filhos sejam cativos de nada. Foi por isso que Ele enviou Jesus para nos libertar, e a Bíblia diz em João 8:36 que aquele a quem o Filho liberta é verdadeiramente livre.

Meu propósito ao escrever este livro é compartilhar com você como ser liberta do cativeiro das dietas — e existem muitas dietas por aí! Sei disso, porque em um momento ou outro, experimentei *todas* elas.

Experimentei dietas de baixo teor calórico, de baixo teor de carboidratos, e de baixo teor de gordura. Experimentei dietas de líquidos, inclusive algumas em pó, que entravam dentro de mim e tinham o mesmo efeito de uma argamassa sobre tijolos. Eu achava que ia morrer antes de finalmente conseguir expelir aquilo do meu organismo.

Experimentei a dieta do *grapefruit*. Disseram que se eu comesse um *grapefruit* ou tomasse suco de *grapefruit* antes de cada refeição isso queimaria as calorias. Eu tinha tanto suco de *grapefruit* no meu estômago que ele ficou cheio de ácido e fez com que meu rosto se enchesse de espinhas.

Experimentei a dieta do ovo cozido. Experimentei a dieta da banana com leite, da baixa proteína e da alta proteína.

Então alguém me falou sobre a dieta da mistura de alimentos. Supostamente, se eu misturasse os grupos de alimentos corretos meu corpo queimaria calorias. Naturalmente essa dieta, como todas as outras, não funcionou — pelo menos não para mim. Tudo o que consegui foi manter a minha mente constantemente voltada para a comida.

TIRE SUA MENTE DA COMIDA

> *Porque todos os que são guiados pelo Espírito de Deus são filhos de Deus.*
>
> Romanos 8:14

Como cristãos, devemos ser livres para ser guiados pelo Espírito, e não pela última dieta da moda. Precisamos ter informações suficientes da parte de Deus para sabermos o que comer e o que não comer, quando comer e quando não comer, quando dizer sim à comida e quando dizer não.

Quando passei a levar a sério o fato de manter uma alimentação adequada e um programa para controlar meu peso, eu lia livros e livros sobre o assunto. Foi impressionante, a meu ver, o quanto me ajudou ser educada e informada sobre nutrição. Aprendi quais vitaminas existem em cada alimento e a quantidade de proteína que eu necessitava por dia; a importância de beber água e do exercício para uma saúde adequada.

Muitas vezes, quando nós, cristãos, temos problemas, começamos a procurar um demônio para culpar. Em geral, nossos problemas não são causados pelo diabo, mas pela nossa ignorância. É por isso que precisamos nos informar e permanecer informadas sobre os alimentos e sobre como ter uma nutrição adequada.

De vez em quando relaxo em alguma área e logo começo a me sentir mal porque sei que não estou comendo adequadamente. Posso ganhar alguns quilos porque não estou aplicando o que sei sobre os alimentos. Quando começo a cair de novo nos meus antigos hábitos, pego um bom livro sobre nutrição e começo a lê-lo novamente. Assim como nos voltamos para a Bíblia quando começamos a ter problemas com a raiva ou outras emoções nocivas, também devemos recorrer ao que sabemos sobre os hábitos de alimentação adequados.

PERMANEÇA INFORMADA E CONFIANTE

Por isso, não abram mão da confiança que vocês têm; ela será ricamente recompensada.

HEBREUS 10:35

Uma jovem que trabalha no nosso ministério tem um pequeno problema de peso. Ela me disse recentemente o quanto a ajudou informar-se lendo livros sobre nutrição.

"Preciso fazer isso de vez em quando apenas para me manter afiada em certas áreas", disse ela. "Sinto-me confiante quando leio esses livros. Eles me motivam e me fortalecem a fazer a coisa certa".

É verdade. É por isso que todos nós precisamos ser instruídos continuamente, precisamos estar de guarda o tempo todo para resistir à tentação.

Por exemplo, muitas vezes eu fui à mercearia e comprei frutas, queijo cottage e iogurte quando sabia que ia sair com minha família para uma lanchonete *fast-food*.

Precisamos nos conhecer o bastante para saber o que podemos fazer e o que não podemos. Sei o que posso fazer para continuar com o mesmo peso, e o que acontece comigo se não permanecer firme nisso. Se eu me permitir sair muito do meu programa de alimentação e exercícios, começo a entrar em condenação. Passo a não gostar de como me sinto nem da minha aparência, o que, como eu disse, afeta a minha autoconfiança, o que por sua vez afeta o meu ministério.

Não posso ficar diante das pessoas e ministrar com confiança se tiver outra coisa em minha mente o tempo todo. Não posso meditar na Palavra de Deus se estiver pensando em comida ou nos meus sentimentos ou na minha aparência. Não posso ouvir a Deus se estiver ouvindo minha própria mente e meu corpo.

É por isso que acredito que a comida é um problema muito maior para nós, crentes, do que a maioria de nós acredita. Ela nos rouba a nossa herança de paz, alegria e harmonia.

CONVIVA BEM CONSIGO MESMA E COM OS OUTROS

(...) vamos concordar em usar toda a nossa energia para convivermos bem uns com os outros.

ROMANOS 14:16, THE MESSAGE

Quando as pessoas estão lutando contra um problema de peso ou de alimentação, quando elas têm a comida na mente o tempo todo, geralmente isso as deixa mal- humoradas e ranzinzas.

A jovem em nosso ministério que tem problema de peso disse que é uma pessoa muito mais amigável, mais doce e mais fácil de conviver quando não está com a mente voltada para a comida o tempo todo. Isso se aplica a todas nós. Agimos melhor quando nos sentimos melhor, e nos sentimos melhor quando sabemos que estamos no controle de nossa vida. Não gostamos de sentir que estamos sendo controladas por outras pessoas ou por coisas — como a comida — pois isso é uma forma de cativeiro.

Quando comemos e nos exercitamos adequadamente, simplesmente nos sentimos melhor conosco. E quanto melhor nos sentimos, somos mais amigáveis.

Anos atrás, descobri que se eu não gostar de mim mesma, não vou me dar bem com ninguém mais. Essa foi uma grande revelação para mim. Foi o suficiente para me convencer a fazer o que fosse preciso para me manter em forma, mesmo que isso parecesse radical para as outras pessoas.

SE FOR PRECISO, SEJA RADICAL

> *Se o seu modo de vida não é compatível com o que você acredita, então ele está errado.*
>
> ROMANOS 14:23, THE MESSAGE

Como observei, muitas vezes quando estou fora com minha família e ficamos com fome, não há tempo para procurar algum lugar que sirva o tipo de comida de que necessito. Nesse caso, simplesmente paro em uma mercearia e compro algumas frutas, queijo cottage e iogurte e levo comigo para o restaurante de *fast-food*. Minha família come o que quer e eu como o que quero.

Você pode pensar: "Isso é muito radical".

Pode ser radical, e pode exigir um pouco de esforço a mais, porém funciona. Sei disso porque não estou mais acima do peso e infeliz. E esse é o ponto principal.

Às vezes, se você quiser obter os resultados certos, precisará dar alguns passos radicais.

Outra jovem do nosso ministério leva muito a sério a saúde e o fato de se alimentar com sabedoria, então ela carrega todo tipo de alimento saudável quando estamos viajando. Todos brincam com ela e dizem que ela leva um saco de alpiste porque está sempre mordiscando sementes de girassol. Ela não se importa porque sabe o que é bom para o seu corpo.

Durante anos, ela esteve muito doente até que Deus lhe mostrou que poderia ser saudável se colocasse as coisas certas para dentro do seu corpo e cuidasse de si mesma. Ela não quer simplesmente jogar fora o que Deus lhe disse, então vai ao extremo de levar cosigo o que necessita. Isso pode parecer radical para algumas pessoas, mas não para ela porque ela foi instruída. Sabe o que funciona para seu corpo e o que não funciona, e se apega a isso independentemente do que os outros pensam ou dizem. É assim que todos nós deveríamos ser.

A IMPORTÂNCIA DA ÁGUA

(...) dê-me também fontes de água (...)

JUÍZES 1:15

Um dos componentes certos que devemos colocar dentro do nosso corpo é a água. Sem ela nosso organismo não funcionará como foi projetado para funcionar.

O que Deus colocou na terra para nós bebermos? Água... O que os seres humanos precisam para que seus corpos funcionem adequadamente? Água. Quantas calorias a água tem? Nenhuma.

Não é impressionante que Deus tenha planejado tudo? O problema é que pegamos o ingrediente básico que Ele forneceu e o misturamos com todo tipo de ervas, produtos químicos e açúcar, e depois nos perguntamos por que não nos sentimos bem ou por que ganhamos peso.

A maioria dos especialistas em saúde concorda que o corpo humano precisa de oito copos de água diariamente. A água inibe o apetite naturalmente e ajuda o corpo a metabolizar a gordura armazenada. Por incrível que pareça, beber bastante água é o melhor tratamento para a retenção de líquidos, então, aqueles que têm problemas com a retenção de líquidos, precisam beber mais água, e não menos.

A água ajuda a manter o tônus muscular adequado. Ela ajuda o corpo a se livrar dos dejetos e de outras impurezas. Ela também pode ajudar a aliviar a constipação.

Há vários bons motivos para se beber muita água, que é tão essencial para o funcionamento adequado do corpo humano.

Alguns afirmam que não gostam de água ou que têm uma intolerância a ela. Mas eu creio que se Deus a colocou aqui para o nosso uso e fez o nosso corpo depender tanto dela, Ele deve ter tido uma boa razão para isso. Precisamos parar de dar desculpas e começar a fazer o que Ele nos mostrou ser a Sua maneira de manter o peso adequado e uma boa saúde.

Quando estou na estrada ministrando, geralmente levo um suporte para garrafas dourado e um prateado. Eu os comprei para combinar com as minhas roupas. Aprendi que é possível estar na moda e ser saudável. Ouço muitos comentários sobre os meus suportes para garrafas. Muitas pessoas dizem: "Que boa ideia!".

Até já brincaram comigo dizendo: "Oh, quer dizer que agora vocês estão vendendo garrafas de água 'Vida na Palavra'". Então eu sei o quanto a água é importante para termos boa saúde. Descobri que ela ajuda a retirar as toxinas do corpo, melhora o funcionamento da bexiga e dos intestinos, aplaca nosso apetite e muito mais. Também descobrir que a única maneira de ter certeza de estar bebendo água suficiente é levando-a comigo aonde quer que eu vá. Além disso, descobri que a água em temperatura ambiente é mais fácil de beber do que a muito gelada, e assim posso beber mais.

Chegue ao extremo de levar água com você. Compre uma garrafa de água e mantenha-a no carro. Compre uma garrafa menor para levar na bolsa ou no seu cinto quando você for fazer compras ou caminhar.

PLANEJE COM ANTECEDÊNCIA

A verdadeira riqueza se consegue com sabedoria e bom senso.

Provérbios 24:3, ABV

Quando viajo, também levo comigo uma bolsa "para o caso de...". Há dias em que preciso me apressar para pegar um avião e não tenho tempo de comer. Se eu não providenciar algo para mim, acabarei comendo o que é servido no avião — amendoins, doces e refrigerantes — alimentos totalmente desnecessários para mim. Embora eu esteja com fome, em vez de consumir todo aquele sal, gordura e calorias, geralmente espero até chegar em casa e me sentar para fazer uma boa refeição.

Para lidar com situações desse tipo, aprendi a planejar com antecedência. Levo comigo uma pequena bolsa com alimentos saudáveis. Posso levar duas maçãs, uma para mim e outra para Dave (porque sei que se ele me vir comendo uma, vai querer comer também). Posso levar algumas vitaminas e, para o caso de ficar com muita fome, algumas pequenas barras de cereais que têm quase o gosto de um chocolate recheado, mas que são cheias de nutrientes.

Essa é apenas uma das maneiras de lutar contra o diabo e evitar a tentação — planejar com antecedência. A outra é exercer a moderação.

EXERCITE A MODERAÇÃO

Porque a graça de Deus se manifestou salvadora a todos os homens. Ela nos ensina a renunciar à impiedade e às paixões mundanas e a viver de maneira sensata, justa e piedosa nesta era presente.

Tito 2:11,12

Se quisermos andar em vitória nessa área, não vamos ter tudo de que gostamos ou queremos. É necessário aprender a dizer não todo dia, um de cada vez — e mais de uma vez ao dia — por toda a nossa vida.

Quando eu era jovem estava sempre mal humorada e de dieta. Mas independentemente de quantas dietas diferentes eu tentasse, elas nunca funcionavam. Eu perdia peso por algum tempo, mas depois ganhava tudo de volta. Isso continuou até eu me informar sobre alimentação correta, nutrição e exercício.

Se você está lutando com questões de alimentação ou de peso, precisa se informar. Precisa conhecer a si mesmo, conhecer o seu corpo e como ele funciona. Você precisa saber quantas calorias e quantos gramas de gordura seu corpo pode tolerar e o que fazer para se manter dentro desses limites.

Não significa que você precise sair por aí com uma calculadora e uma folha de papel na mão pelo resto da vida. Depois de saber o que você pode e não pode tolerar, isso vai se tornar quase automático. Embora você talvez precise levar uma calculadora e um pedaço de papel no início, depois de algum tempo você saberá quando, o que e quanto pode comer. Assim você pode planejar sua alimentação e manter seu peso sob controle.

Não se trata de se privar de comer. É uma questão de exercer um pouco de moderação. Se você fizer isso, creio de todo o coração que o Espírito Santo a conduzirá e a ajudará a manter uma dieta balanceada, e assim você poderá viver com saúde e alegria.

O "PLANO DE DIETA" DE DEUS

1. Coma quando estiver realmente com fome.
2. Pergunte a si mesmo: "O que eu *realmente* quero comer?". Coma o que desejar em vez de comer o que acha que deve comer. Se você realmente ouvir seu corpo, saberá o que ele precisa e quer.
3. Aprecie a comida.
4. Coma sentado. Todos tendem a comer mais do que percebem quando estão de pé.
5. Coma devagar. O seu cérebro recebe um sinal de que você está satisfeito dentro de cerca de vinte minutos.[2]
6. Pare de comer quando não estiver mais com fome. Pegue uma porção pequena, mas planeje voltar para pegar uma segunda porção. Muitas vezes você não quer mais repetir!
7. Siga em frente, cuide de sua vida fazendo outras coisas. Mantenha a sua mente longe da comida. Se não estiver com fome, você talvez não pense em comida novamente até que chegue realmente a hora da próxima refeição, quando só então estará com fome.
8. Aprecie outras atividades além de comer. Não há nada de errado em sair para comer como diversão, desde que essa seja uma das suas formas de diversão. Desfrute mais seus outros interesses.
9. Siga a direção do Espírito Santo. Ele lhe dirá o que é bom para você e o conduzirá à vitória e à liberdade, e não a ganhar peso!
10. De um passo de fé e obedeça ao direcionamento do Espírito Santo. Se Ele conduzir você a em um dia comer um prato de cereais no café da manhã em vez de meio *grapefruit* e uma torrada, ou um pedaço pequeno de torta ocasionalmente depois de um jantar satisfatório, faça isso. (Ao se privar ao ponto de nunca comer um pedaço de torta você pode, em algum momento, ser tentado a comer a metade da torta!)

Razão 2

Falta de Uma Dieta Balanceada

Razão 2

Falta de Uma Dieta Balanceada

Estejam alertas e vigiem. O Diabo, o inimigo de vocês, anda ao redor como leão, rugindo e procurando a quem possa devorar.
I PEDRO 5:8

O PROBLEMA COM A DIETA DE muitas pessoas é que ela não é balanceada. Elas comem amido demais e não comem proteína suficiente, ou comem proteína demais e não comem carboidratos suficientes. Elas podem seguir uma dessas dietas que dizem "coma tudo disso e nada daquilo".

Se Deus quisesse que nós comêssemos apenas um alimento ou um tipo de alimento, não teria criado a abundância e a variedade de coisas boas que estão disponíveis a nós.

A Bíblia nos ensina que devemos ser equilibrados em todas as áreas de nossa vida, inclusive na alimentação. Assim como a vida equilibrada gera vitória, a alimentação equilibrada gera saúde.

Isso não significa que devemos todos comer as mesmas coisas ao mesmo tempo ou na mesma quantidade. A dieta de cada pessoa deve ser adaptada exclusivamente para as suas necessidades.

Eu preciso de muita proteína na minha dieta. Ao longo dos anos, experimentei muitas que limitavam as proteínas, e sempre terminei querendo o tempo todo comer alguma coisa. Se eu comer bastante proteína, posso não me sentir sempre "cheia", mas me sinto satisfeita.

Também aprendi que preciso de muita água. Às vezes, quando fico com fome antes da hora da refeição, um copo cheio de água abranda meu apetite. Como vimos, a água é uma parte importante de qualquer dieta bem equilibrada.

Se você vai seguir uma dieta equilibrada, não coma a mesma coisa o tempo todo. Alterne seus alimentos. Isso ajuda a manter a variedade, o que aumenta a sensação de satisfação.

Esse é um problema para mim, porque se descubro que gosto de alguma coisa, é aquilo que quero comer todos os dias. Se eu fizer isso, vou acabar ficando tão enjoada daquela comida que nunca mais na vida vou querer comê-la novamente. Isso não é comer com moderação.

TODAS AS COISAS COM MODERAÇÃO

Seja a vossa moderação conhecida de todos os homens...

Filipenses 4:5, ARA

Há pessoas que desenvolvem uma intolerância aos seus alimentos favoritos. Um motivo pelo qual isso acontece é porque elas os comem tanto que o corpo começa a rejeitá-los.

Se elas vão a um alergista, a primeira coisa que ele faz é colocá-las em uma dieta com alimentos alternados para que o organismo possa se adaptar a uma dieta balanceada. Tudo isso é parte da vida equilibrada que Deus quer que tenhamos.

A Bíblia ensina que devemos fazer todas as coisas com moderação. Ser moderado é ser sóbrio ou equilibrado. Ser equilibrado é ser regrado.

Você já tentou ver quanto tempo consegue passar sem comer, achando que pular refeições vai fazer você perder peso? Geralmente isso só o deixa com mais fome do que quando você come de forma regrada. O resultado é que você passa a engolir tudo que vê pela frente. Então você pensa: "Não sei por que estou tão acima do peso. Passo o dia inteiro sem comer".

Eu costumava fazer isso o tempo todo. Durante anos, fiquei presa nessa armadilha. Nunca comia até três ou quatro horas da tarde. Passava a maior parte do dia fumando, tomando café e depois passava o resto do dia e da noite comendo. E não conseguia entender por que nunca perdia peso.

Uma jovem costumava reclamar que não conseguia entender por que estava tão acima do peso. "Eu nunca como", ela dizia.

"Sim, você come", seu marido dizia. "Você come pão o tempo todo".

Aquela mulher adorava pão, então comia pão constantemente. Mas ela achava que não estava comendo nada. Ela estava comendo, mas não de forma equilibrada. O resultado era que ela estava sempre com fome e acima do peso.

Assim como muitos de nós, aquela jovem havia sido enganada.

NÃO SE DEIXE ENGANAR

Não se deixem enganar (...) o que o homem semear, isso também colherá.

GÁLATAS 6:7

Costumamos pensar: *Não estou comendo nada.* Mas geralmente estamos comendo algo sim, só que não as coisas certas e nem na quantidade certa.

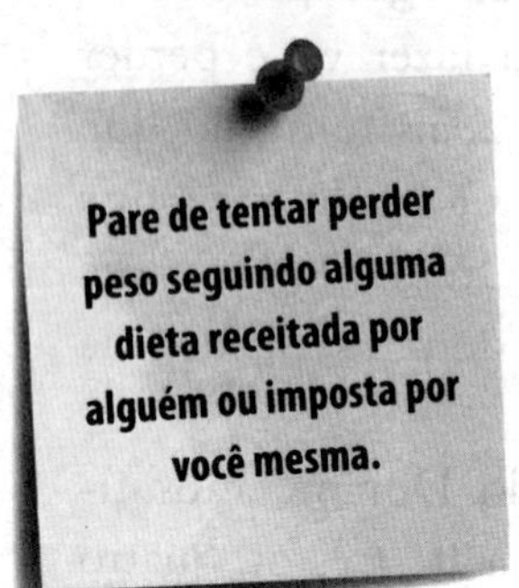
Pare de tentar perder peso seguindo alguma dieta receitada por alguém ou imposta por você mesma.

Se você não come as coisas certas, mas come as erradas, embora esteja comendo apenas um pouco das coisas erradas, seria melhor se comesse muito das coisas certas.

É impressionante quantos alimentos nutritivos como frutas e vegetais você pode comer sem ganhar peso, e talvez até perder peso. Ao mesmo tempo, é impressionante o quanto uma quantidade pequena de *junk food* como doces ou batatas chips que você coma pode aumentar o seu peso.

Então a questão não é apenas quanta comida você come, mas sim que tipo e quando você a come.

VOLTANDO AO EQUILÍBRIO

Cuidem de vocês mesmos.

Atos 20:28

Se você tem comido coisas erradas e na quantidade errada, seu organismo pode estar em desequilíbrio. Eis como fazê-lo voltar ao equilíbrio: *Pare de fazer as dietas da moda.*

Pare de tentar perder peso seguindo alguma dieta receitada por alguém ou imposta por você mesma. Em vez disso, entre em um programa de alimentação de boa qualidade. Comece ouvindo seu corpo.

Quando digo ouvir seu corpo, por favor, entenda que não estou falando da sua natureza *carnal*, dos anseios pecaminosos nada saudáveis que levam à destruição e à miséria. Estou falando da fome sensata e saudável que precisa ser saciada a fim de manter o corpo em funcionamento da maneira como Deus planejou.

COMA MAIS PARA PERDER PESO

Uma das melhores maneiras de perder peso pode ser comer mais certos alimentos! Alimentos com baixo teor de gordura, que contém alto teor de fibras (como a pipoca), contêm menos calorias que os alimentos com alto teor de gordura (como os amendoins), e a gordura tem mais que o dobro de calorias dos carboidratos ou proteínas. Você pode comer muito mais pipoca contendo 150 calorias do que amendoins com o mesmo número de calorias!

Se você ouvir seu corpo com atenção e sabedoria, ele lhe dirá do que necessita para manter o equilíbrio adequado a fim de poder servi-la como deve.

Lembre, seu corpo foi projetado para ser seu servo, e não é você quem deve servir a ele. Quando ele se desgastar, você terá problemas. Portanto, aprenda a respeitá-lo e a cuidar dele. Ouça as mensagens que ele lhe envia sobre suas necessidades — uma dieta adequada, exercício, descanso, sono, recreação — a fim de se manter em condições de funcionamento excelentes.

COMA DIREITO E VIVA MAIS

Portanto, vá, coma com prazer a sua comida, e beba o seu vinho de coração alegre, pois Deus já se agradou do que você faz.

Eclesiastes 9:7

Tudo o que leio e vejo ultimamente tem confirmado aquilo que acredito que Deus me mostrou ao longo dos anos: se você e eu comermos os alimentos corretos na quantidade certa, mais cedo ou mais tarde o nosso corpo se acomodará ao peso que é melhor para cada um de nós.

Isso não significa necessariamente que se você começar a comer adequadamente hoje perderá peso amanhã. Você poderá começar a perder peso dentro de duas semanas ou dentro de três meses. Poderá passar seis meses sem perder um único grama. Na verdade, você poderá realmente ganhar peso por algum tempo, principalmente se acaba de sair de uma dieta drástica na qual perdeu peso passando fome — porque a maneira como você perdeu esses quilos, digamos... "não valeu".

O seu corpo precisará de tempo para se ajustar à sua nova maneira saudável de se alimentar e se exercitar. Uma vez que ele tenha recuperado o equilíbrio adequado, você começará a perder peso lentamente, mas de forma consistente, geralmente cerca de 1 a 3 quilos por mês.

Você talvez esteja pensando: *De maneira nenhuma vou esperar seis meses para começar a perder alguns quilos por mês!*

Não é melhor do que passar os próximos seis meses perdendo e ganhando os mesmos 5 quilos seguidamente? Isso não é apenas pouco saudável, como também não é sábio. A maneira de Deus, que nos ensina uma alimentação sensata aliada aos exercícios, é muito melhor — e muito mais duradoura.

É APENAS UMA QUESTÃO DE TEMPO

Ele fez tudo apropriado ao seu tempo.

ECLESIASTES 3:11

Se você já abusou do seu corpo por muito tempo, precisará tratá-lo bem por algum tempo antes que ele comece a trabalhar direito para você.

Quando um casal em um relacionamento conjugal se maltrata por anos, embora eles possam finalmente se reconciliar, ainda haverá um período de ajuste pelo qual deverão passar. A lembrança dos sofrimentos do passado não desaparecerá da noite para o dia. É necessário tempo para restaurar a fé e a confiança perdidas.

O mesmo acontece no seu relacionamento com o seu corpo. Se você abusou dele por muito tempo comendo demais ou passando fome, dando coisas demais ou de menos a ele, com refeições exageradas em um dia e duas pílulas para inibir o apetite no outro, ele talvez não saiba mais o que esperar de você. Seu corpo pode ter perdido temporariamente a capacidade de estabelecer e manter o equilíbrio adequado. Mas se você mantiver uma alimentação saudável e um programa de exercícios, mais cedo ou mais tarde seu corpo se estabilizará e começará novamente a servi-la de forma adequada.

É apenas uma questão de tempo.

TUDO O QUE VOCÊ QUISER — DENTRO DO RAZOÁVEL

Mas o alimento sólido é para os homens adultos, para aqueles cujos sentidos e faculdades mentais são treinadas pela prática a discernir e distinguir entre o que é (...) bom e (...) o que é (...) contrário à lei divina ou humana.

HEBREUS 5:14, AMP

Certa vez, conversei com uma jovem em Chicago que disse estar 30 quilos acima do peso. Ela ficou doente e precisou passar por um programa alimentar balanceado, de alta qualidade, com quase todos os alimentos naturais: carne magra, muitas frutas e vegetais, muito líquido, principalmente água — e exercícios moderados.

Ela disse que depois de duas semanas começou a perder peso. Perdeu tanto peso, na verdade, que foi preciso repor 3 quilos...

"Aparentemente", ela me disse, "meu organismo se normalizou. Agora como qualquer coisa que desejo, dentro de um limite razoável, e nunca ganho nem um grama".

Observe esta expressão: "dentro do razoável".

O problema de muitos que estão acima do peso é que eles fazem dietas para perder peso depressa para poderem voltar logo a comer qualquer coisa que desejem — o que faz com que aqueles quilos a mais voltem, e seja necessário recomeçar todo o processo. Esse é o clássico efeito sanfona, que é muito perigoso e nada saudável.

Essa jovem disse que agora seu organismo se normalizou e ela pode comer qualquer coisa que deseje — *dentro do razoável.*

Essa é a chave.

Sim, você e eu podemos chegar ao ponto de comermos o que quisermos — se o nosso "querer" for corrigido.

Aquela jovem não estava se referindo a comer *fast-food* à vontade, mas em comer tudo o que quisesse dos alimentos certos que o seu corpo pedisse.

No programa alimentar de Deus, podemos comer tudo o que quisermos, desde que tenhamos sabedoria para escolher.

O QUE VOCÊ *REALMENTE* QUER COMER?

Às vezes, sua alma e sua carne fazem exigências ridículas.

Você realmente quer tomar um *sundae* com calda de chocolate quente no café da manhã?

Quando você para e pensa se realmente quer comer algo assim, noventa e nove vírgula noventa e nove por cento das vezes você descobrirá que realmente não quer. Mas, talvez mais tarde, à noite depois do jantar, você pensa no assunto novamente e decide que realmente quer um *sundae* com calda de chocolate quente! Vá em frente e tome um! É o excesso contínuo que causa problemas — e não as liberdades ocasionais.

Deus criou uma grande variedade de alimentos que podemos comer. Você pode comer de toda a boa comida que Deus criou.

Dedique tempo para aprender a detectar o que você realmente quer comer.

NÃO UMA DIETA, MAS UM ESTILO DE VIDA

Esta é a sua sentença (...) você mesmo a pronunciou.

I Reis 20:40

O que Deus está nos oferecendo não é uma dieta, mas um estilo de vida. *A solução para quem está acima do peso não é uma privação temporária, mas uma decisão permanente.*

Um motivo pelo qual não ganhei nenhum peso significativo durante anos é o fato de ter tomado a decisão definitiva de mudar — não a minha dieta, mas o meu estilo de vida. Cheguei a essa decisão quando Deus me mostrou que as dietas não são a resposta porque elas simplesmente não funcionam, pelo menos não por muito tempo.

Se você e eu realmente levarmos a sério a necessidade de atingirmos o nosso peso adequado e de mantê-lo pelo resto de nossa vida, se quisermos continuar fortes e saudáveis até que o nosso Senhor venha nos buscar, precisamos aprender a comer os alimentos corretos na quantidade correta — enquanto vivermos.

A resposta para um problema alimentar ou de peso é uma dieta equilibrada composta de uma variedade de alimentos saudáveis e nutritivos consumidos nas horas e nas quantidades certas.

Razão 3

Falta de Exercício

Razão 3

Falta de Exercício

Exercite-se diariamente em Deus — nada de moleza, por favor!
I Timóteo 4:7, THE MESSAGE

A razão pela qual a maioria das pessoas está acima do peso é muito simples: elas consomem mais calorias do que queimam, ponto final. Isso resume praticamente tudo que realmente precisamos saber sobre o assunto.

É por isso que não podemos esperar emagrecer se não mudarmos nossos hábitos de alimentação e de exercício, principalmente à medida que envelhecemos e começamos a fazer menos atividades físicas.

Um jovem pode fazer muitos esportes e ser magro e saudável. Então ele se casa, se estabelece, e tem dois ou três filhos. Agora, em vez de passar todo seu tempo livre jogando ou praticando esportes, quando ele não está no trabalho está em casa sentado diante da televisão. Mas ele continua comendo da mesma maneira que comia quando era fisicamente ativo. Não é de admirar que mais cedo ou mais tarde ele comece a ganhar peso — somente em função da mudança no seu estilo de vida.

O EXERCÍCIO FAZ A DIFERENÇA

A ginástica no ginásio é útil...

I TIMÓTEO 4:8, THE MESSAGE

Quando meu marido e eu nos casamos, ele estava em ótima forma. Quando chegou próximo aos quarenta anos, ele achou que estava ficando um pouco mais volumoso do que queria estar. De repente, percebi que ele não estava jantando.

"Por que você não está jantando?", perguntei a ele.

"Porque quero perder um pouco de peso", ele disse. "Alguma coisa mudou no meu corpo, e simplesmente não posso comer tanto quanto eu costumava sem ganhar peso. Quando estava no exército jogando basquete regularmente, eu podia encher o prato de comida e comer sem parar. Agora que não estou me exercitando tanto, não posso mais fazer isso".

Ele ficou sem jantar por cerca de duas semanas, perdeu 7 quilos e nunca os recuperou. Depois disso, precisou reduzir sua alimentação ou aumentar os exercícios a fim de manter o peso que acreditava ser melhor para ele.

Isso acontece com todos nós. Ou mudamos nossos hábitos alimentares e nos exercitamos, ou acabamos ganhando peso. É assim que funciona.

EXERCÍCIO É MOVIMENTO

Pois nele vivemos, nos movemos e existimos (...) Também somos descendência dele.

ATOS 17:28

Quando falo sobre exercício falo sobre movimento. As pessoas hoje não se mexem o suficiente. Ficamos sentados demais. Vamos a todos os lugares de carro. Achamos que estamos trabalhando muito quando na verdade apenas apertamos alguns botões:

"Quem disse que eu não trabalho? Eu lavei a louça (na lavadora automática) e quatro cestos de roupa suja (na máquina de lavar)! Também dei ordens à empregada (que fez todo o trabalho, na verdade)".

ATÉ UM POUCO DE EXERCÍCIO AJUDA

A perda de peso constante e gradual resulta de um estilo de vida que combine bons hábitos alimentares e exercício regular. Até mesmo só um pouco de exercício ajudará a queimar gordura.[1]

Nem sequer sabemos o que é o verdadeiro trabalho, se comparado há cem anos, quando todos precisavam fazer quase tudo à mão.

Serei sincera com você. Acredito que Satanás nos passou a perna. Ele tornou tudo tão fácil, confortável e conveniente, que isso está nos matando. Não precisamos mais subir degraus porque existem elevadores e escadas rolantes, nem cozinhar, porque tudo é instantâneo e pode ser feito no micro-ondas. Não é mais necessário ficar horas de pé lavando a roupa porque temos máquinas que fazem isso ou contratamos alguém para fazer o serviço. Não temos de levantar, carregar ou limpar porque há alguém para fazer isso por nós. Não precisamos nem sair do carro quando vamos fazer um lanche porque existem os *drive-in*.

Nós nos apaixonamos pelo engano de Satanás. Achamos que estamos economizando tempo e esforço, mas, na verdade, estamos perdendo força e energia — e adquirindo estresse e frustração. Andamos de carro pela vida até quebrarmos, e então queremos que haja uma reviravolta para nos salvar desse estilo de vida. O problema é que não existem reviravoltas em *drive-in*.

PRECISAMOS NOS ESFORÇAR

Por isso, procuro sempre me exercitar...

Atos 24:16, AMP

É preciso esforço para perder peso e nos mantermos assim permanentemente. Esse esforço chama-se exercício.

Sei que onde quer que a palavra "exercício" é mencionada, todos gemem só de pensar nela. Eu me sinto exatamente da mesma forma. Acredite, não gosto disso tanto quanto qualquer um. Mas a questão principal é que precisamos movimentar o nosso corpo se esperamos perder peso e nos sentir bem com nós mesmos.

Sei que é difícil encaixar o exercício de forma razoável em nossa vida diária. Se continuarmos usando elevadores, escadas rolantes, aspiradores de pó, lavadoras automáticas, secadoras e automóveis, nunca teremos o tipo ou a quantidade de exercício de que precisamos. Isso quer dizer que vamos ter de fazer um esforço consciente para evitar alguns desses modernos aparelhos que "economizam nosso tempo".

Por exemplo, em vez de ir de carro a todo o lugar, tente ir caminhando de vez em quando. Não será o fim do mundo. Em vez de pegar o elevador ou a escada rolante, tente subir as escadas. Em vez de usar um aspirador de pó elétrico, ou de contratar alguém para limpar sua casa, tente usar um espanador comum e faça isso você mesmo. Certamente, isso pode fazer com que você sue um pouco, mas é essa a ideia.

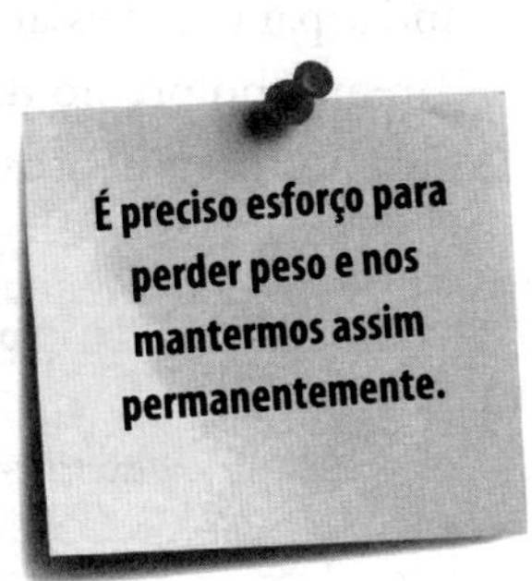
É preciso esforço para perder peso e nos mantermos assim permanentemente.

Na nossa sociedade de clima controlado, saímos e voltamos de um carro com ar-condicionado para um prédio com ar-condicionado. Pelo fato de nunca suarmos de verdade, não eliminamos as toxinas do nosso corpo. E depois nos perguntamos por que nos sentimos mal o tempo todo.

Não é sábio buscar uma vida de luxo que não exige nenhum esforço da nossa parte. Se o único exercício que fazemos é cortar a grama uma vez por semana, então precisamos pensar duas vezes antes de comprar um cortador elétrico. O mundo nos dirá que não precisamos estar lá fora cortando a grama e suando, mas talvez o contrário seja verdade. Talvez precisemos de um pouco desse exercício porque pode ser a única coisa que esteja nos mantendo saudáveis como agora.

O mesmo acontece com qualquer outro aparelho ou dispositivo que supostamente nos poupa trabalho.

Nós tornamos tudo tão fácil, conveniente, sem esforço, que estamos nos matando por falta de exercício.

A busca interminável pela facilidade e conveniência é sinal de preguiça. Acredito que existe um espírito de preguiça à solta na nossa sociedade hoje — até mesmo nas nossas igrejas. Não queremos sequer nos sentar mais na igreja a não ser que tenhamos um assento acolchoado. Não queremos andar para atravessar o estacionamento, e certamente não ficaremos no prédio da igreja caso não tenha ar-condicionado. Ficamos preguiçosos demais porque isso nos convém.

PLANEJE SE EXERCITAR

... exercite-se...

1 Timóteo 4:7

Pelo fato de que o nosso estilo de vida não nos oferece muito exercício, precisamos planejar nos exercitar. Uma vez que o exercício é definido simplesmente como movimento, qualquer movimento ajudará.

Quando estou trabalhando no meu computador o dia todo, de vez em quando me levanto e faço um intervalo. Tenho uma bola de exercícios que uso para aliviar a tensão e a fadiga. Meu médico quiroprático foi quem me deu. Muitas vezes, eu simplesmente me sento naquela bola por cinco minutos, ou fico me balançando em cima dela por algum tempo. Qualquer coisa que mantenha o corpo se mexendo — até mesmo se esticando, ou rindo — faz o sangue fluir, o que é bom.

Com relação a exercício, o essencial é fazer o que funciona para você. Preciso admitir que não consigo fazer exercícios de solo. Eles simplesmente não funcionam para mim. Só consigo me exercitar em uma esteira se estiver fazendo alguma coisa construtiva como discutir negócios com a minha secretária ao mesmo tempo. Tenho de ter alguma coisa que tire a minha mente da esteira. Simplesmente não consigo suportar ficar ali de pé por quarenta e cinco minutos sem fazer nada além de andar. Parece-me uma tremenda perda de tempo. Preciso sentir que estou fazendo alguma coisa com o meu tempo.

Duas coisas que descobri que me relaxam e tiram a minha mente do trabalho são jogar golfe e caminhar. Gosto de jogar golfe com meu marido Dave. É um bom exercício, e gosto de caminhar. Tento andar vários quilômetros por semana, de três a cinco quilômetros de cada vez, três ou quatro vezes por semana.

ESCOLHA UMA FORMA DE EXERCÍCIO DE QUE VOCÊ GOSTE

Depois de consultar o seu médico, escolha uma forma divertida de exercício que lhe seja conveniente — como caminhar, andar de bicicleta, correr, nadar, dança aeróbica etc. — e comece lentamente. Exercitar-se três vezes por semana, durante vinte e cinco minutos, é uma boa prática para começar, mas isso pode variar dependendo da sua idade, do seu estado de saúde, dos seus objetivos com relação à sua forma física e outras variáveis.[2]

O importante é descobrir o que é melhor para você. Se você gosta de estar com outras pessoas enquanto se exercita, talvez queira entrar para uma academia ou centro de saúde. Se você pode se exercitar sozinha em casa, então você pode se deitar no chão e seguir um programa de ginástica pela tevê ou trabalhar acompanhando um vídeo de exercícios.

O principal, porém, é fazer o que for necessário para colocar o seu corpo em movimento, os músculos funcionando e o sangue fluindo. Faça isso! Mexa-se!

Razão 4

Hábitos Alimentares Nocivos

Razão 4

Hábitos Alimentares Nocivos

... coma apenas o suficiente, para que não fique enjoado e vomite.
PROVÉRBIOS 25:16

POSSIVELMENTE A RAZÃO NÚMERO um pela qual as pessoas têm problemas com o seu peso são seus maus hábitos alimentares.

Vamos examinar alguns desses hábitos para ver o que pode ser feito para eliminá-los.

1. *Comer momentos antes de dormir.*

Fiz isso a minha vida inteira, e é um mau hábito. Ainda como antes de dormir, mas pelo menos agora tomo muito cuidado com o que como. Geralmente opto por frutas ou algum alimento pouco calórico que seja bom para mim.

Ouvi falar de uma mulher que durante anos costumava tomar um copo de leite toda noite antes de deitar. Apenas quebrando esse hábito, ela perdeu 9 quilos em um ano.

2. Querer se sentir "cheio" o tempo todo.

Uma jovem certa vez leu um livro que dizia: "Se você quer ser magra, entreviste algumas pessoas magras e descubra como elas comem".

Então, ela foi e falou com outra jovem que era tão magra que usava tamanho 36.

"Quero perder peso", ela disse. "Fale-me sobre os seus hábitos alimentares. Com que frequência você pensa em comida?".

"Bem", respondeu a mulher magra, "eu não penso em comida a não ser que fique com fome".

Esse é um ponto importante. A maioria das pessoas acima do peso pensa em comida o tempo todo.

"Quando você para de comer?", a outra perguntou.

"Ah, eu paro de comer", respondeu ela "assim que me sinto confortável".

Esse é outro ponto importante. A maioria das pessoas que estão acima do peso come até ficar empanturrada. Na verdade, na maioria das vezes elas só sentem que comeram quando estão tão cheias a ponto de mal poder respirar.

Se você tem um problema de alimentação ou de peso, tente desenvolver o hábito de comer apenas quando estiver realmente com fome, e também o de parar quando se sentir confortavelmente satisfeita e não empanturrada.

Essa jovem continuou dizendo: "Não como até que meu estômago comece a roncar".

"Quanto tempo leva para que isso aconteça?", a outra perguntou. "Quanto tempo você costuma esperar entre as refeições?".

"Bem, na primeira vez que fiz isso", ela respondeu, "levei dois dias e meio para ficar realmente com fome".

Ela deve ter acumulado muitas reservas para passar tanto tempo sem ficar faminta de verdade! Você e eu provavelmente não conseguiremos ir tão longe antes de começarmos a sentir dor no estômago. Mas precisamos, mesmo assim, ter moderação quando começamos a comer para não nos excedermos e nos empanturrarmos.

É possível chegar ao ponto em que você deteste realmente se sentir empanturrada. Quando chegar, estará prestes a conseguir manter o peso adequado.

3. Precisar comer alguma coisa doce depois de cada refeição.

Sentir que precisamos comer pelo menos um pouco de alguma coisa doce depois de cada refeição é simplesmente um hábito que todos nós devemos tentar quebrar. Posso quebrar esse hábito e ficar livre por muito tempo e depois voltar a ele outra vez. Quando ouço as pessoas, é impressionante quantas dizem depois de comer: "Só preciso comer um pedacinho de alguma coisa doce". Como um pedacinho de alguma coisa poderia satisfazer o nosso corpo? Isso só pode ser um hábito mental — achamos que precisamos disso.

Quando Dave e eu comemos fora, sempre insisto que ele peça uma sobremesa para que eu possa roubar alguns pedaços para mim. Acho que ele acabou percebendo a minha estratégia. Ele sabe que poderia ter problemas sérios de saúde se comesse tudo que tento fazer com que ele peça só para que eu possa roubar um pouquinho para mim.

Comer doces após as refeições, ou mesmo diariamente, é um mau hábito que todos nós precisamos quebrar.

4. *Beliscar enquanto assiste à tevê ou no cinema.*

Se você tem esse hábito, e sente que precisa mastigar algo enquanto assiste à tevê, tente beliscar alguma coisa saudável. Você pode não gostar desta sugestão, mas tente mordiscar palitos de cenoura em vez de batatas chips.

Quando você vai ao cinema, em vez de comer pipoca, doces, ou de tomar refrigerantes, leve os seus lanchinhos saudáveis.

Livre-se do hábito de sempre comer alimentos deliciosos e ricos em calorias toda vez que você sentar para se divertir um pouco. Quando saio à noite para um lugar onde quero degustar alguma comida que normalmente não como, planejo isso com antecedência. Por exemplo, se vou ao cinema e decido que realmente quero comer pipoca (com um pouco de manteiga), elimino alguma coisa da minha dieta naquele dia para compensar as calorias a mais que vou consumir à noite. Como eu disse anteriormente, não são as "liberdades ocasionais" que causam problemas. A chave para a vitória é garantir que elas sejam "ocasionais", e não se tornem um hábito nos controlando diariamente.

5. *Comer só porque os outros estão comendo, porque a comida está disponível ou porque você a viu em um lindo anúncio, ou então porque você está com raiva ou irritada.*

Esses pontos serão discutidos mais detalhadamente adiante. Mas, por ora, não pense que você é obrigada a comer sempre que as pessoas ao seu redor estiverem comendo ou toda vez que chegar perto de alguma comida ou aperitivo.

Não pense que precisa levantar e ir à cozinha para preparar um lanche ou ir à loja e comprar algum produto alimentício só porque ele foi anunciado na tevê ou em uma revista.

Finalmente, não pense que precisa comer para encontrar consolo na comida quando estiver sensível ou para irritar alguém que a ofendeu. Você não está prejudicando ninguém além de si mesma.

Livre-se do hábito de sempre comer alimentos deliciosos e ricos em calorias toda vez que você sentar para se divertir um pouco.

Dizem que são necessários trinta dias para se criar ou quebrar um hábito. Adote novos hábitos. Tenha com você alguns lanchinhos com baixo teor de calorias, de gorduras e de colesterol em casa ou no escritório ou mesmo no seu carro, para que quando você quiser comer entre as refeições possa ter à mão algo que não venha lhe trazer muitos quilos a mais.

Quebre os seus maus hábitos de alimentação com bons hábitos, como dar uma caminhada todos os dias. Você ficará com uma aparência melhor e se sentirá muito bem.

Razão 5

Metabolismo Desequilibrado

Razão 5

Metabolismo Desequilibrado

Um crê que pode comer de tudo; já outro, cuja fé é fraca, come apenas alimentos vegetais.
ROMANOS 14:2

UM METABOLISMO DESEQUILIBRADO é uma das razões pelas quais algumas pessoas estão acima do peso. Não gostaríamos todos nós de acreditar que é esse o nosso problema?

"Simplesmente não consigo deixar de estar acima do peso", gememos e nos lamentamos, "o meu metabolismo está desequilibrado; são os meus hormônios!".

Hoje em dia parece que a culpa de tudo é do metabolismo e dos hormônios. Quando o médico não consegue descobrir nada mais para explicar o nosso estado de saúde, podemos sempre colocar a culpa no nosso metabolismo ou nos nossos hormônios.

Gostamos dessa situação porque ela nos exime da responsabilidade de fazermos algo por nós mesmos. Afinal, se o nosso metabolismo ou os nossos hormônios estão "descontrolados", não há nada mais que possamos fazer a respeito.

Isso não é totalmente verdadeiro.

Afasta de mim a vaidade e as mentiras... alimenta-me com o alimento que é conveniente para mim.

PROVÉRBIOS 30:8, KJV

O metabolismo é simplesmente a velocidade com a qual o corpo queima os alimentos e os transforma em energia para ser usada. O interessante é que existem dois elementos que afetam o metabolismo: 1) o exercício e 2) a alimentação. O primeiro, o exercício, é simples: quanto mais uma pessoa se exercita, mais rápido será o seu metabolismo. A outra, a alimentação, é ainda mais interessante.

O metabolismo é "o processo extremamente complexo pelo qual os alimentos que comemos são convertidos em energia".[1]

O exercício regular queima gorduras e ajuda a aumentar a velocidade metabólica do corpo em repouso. Isso pode durar por até dois dias. O exercício regular continua queimando calorias por horas, mesmo após o fim da atividade.[2]

Recentemente, li um material muito informativo sobre o hipotálamo, a parte do cérebro que regula o metabolismo das gorduras e dos carboidratos.[3]

Uma maneira que o corpo utiliza para manter um ponto de equilíbrio é liberar uma proteína feita de células de gordura na corrente sanguínea. A liberação dessa proteína sinaliza ao cérebro que as células de gordura estão "cheias" (em outras palavras, o corpo chegou ao seu ponto de saturação), e produz uma redução na alimentação. Outra maneira é por meio de uma enzima produzida pelas células de gordura que remove a gordura recentemente ingerida da corrente sanguínea. A enzima pode se tornar muito ativa a fim de aumentar a eficiência do armazenamento da gordura corporal e manter o ponto de saturação quando as gorduras e as calorias são reduzidas.

O problema é que quando entramos e saímos de dietas, na verdade estamos trabalhando contra o nosso corpo nas nossas tentativas de perder peso. O nosso corpo reage ao estado de inanição ou semi-inanição causado pelas dietas lutando para manter o ponto de saturação em vez de reduzi-lo. Como vimos anteriormente, passar fome faz com que o nosso metabolismo desacelere.

Para manter o nosso metabolismo funcionando adequadamente a fim de que o nosso corpo perca peso e atinja o ponto de saturação que fará com que ele chegue ao peso para o qual foi projetado, precisamos estabelecer um bom programa alimentar e mantê-lo por um período prolongado.[4]

Se você é como eu, já deve ter feito tantas dietas ao longo dos anos que perdeu e depois ganhou de volta vários quilos. O motivo pelo qual continuamos perdendo e ganhando é que não temos cooperado com o ponto de equilíbrio individual do nosso corpo para chegarmos o nosso peso ideal.

A resposta não é um novo tipo de dieta. A resposta é o plano original de Deus, que é comermos os alimentos que Ele criou para nós nas quantidades que Ele pretende que comamos.

Ao formar o hipotálamo, Deus colocou dentro de cada um de nós um pequeno "computador" programado para monitorar nossos hábitos alimentares e nos informar sobre o que e quando comer.

Muitas pessoas estão com a saúde fraca simplesmente porque não comem o tipo de alimento que é correto para elas. Elas fazem dietas da moda que eliminam alguns grupos de alimentos básicos, o que é muito prejudicial à saúde. Muitas acabam no hospital porque privam o corpo por períodos muito prolongados de vitaminas essenciais, minerais e outros nutrientes necessários à saúde física e mental adequada.

É especialmente importante para as mulheres comer os alimentos corretos na quantidade certa enquanto são jovens e estão se preparando para aquele momento posterior chamado de "a mudança da vida". Se o corpo de uma mulher não estiver nutricionalmente sadio, quando chega a certa idade, ela pode acabar tendo problemas sérios. A questão é que geralmente as mulheres são mais sensíveis ao seu peso e à sua forma que os homens, e isso pode levá-las a abusar da saúde ou negligenciá-la.

Certa vez, jejuei e perdi muito peso. Então, a vaidade tomou conta de mim. Uma pessoa rica havia me dado algumas roupas muito caras, todas no tamanho P, e eu queria poder continuar usando-as. Então, passei os três meses seguintes vivendo só de sopa, alface e frutas, fazendo apenas uma pequena refeição por dia. Meu corpo ficou tão debilitado que o diabo usou aquela oportunidade para me atacar em um momento em que eu não estava fisicamente capaz de resistir. O resultado foi que comecei a ter todo tipo de sintomas perturbadores.

Embora nós, cristãos, tenhamos autoridade sobre o diabo e tenhamos recebido poder para resistir aos seus ataques e vencê-

-los, ainda assim precisamos cuidar de nós mesmos. Deus não pode nos abençoar se estivermos abusando do nosso corpo em nome da vaidade.

Quando percebi o que estava fazendo, arrependi-me e pedi ao Senhor para me ajudar a voltar a ter um programa de alimentação saudável e adequado para mim.

Isso é tão importante para homens quanto para mulheres. Assim como elas precisam passar por mudanças, os homens costumam também enfrentar as crises da meia idade. Eles precisam estar em um bom estado mental e físico a fim de resistir ao estresse e às pressões que podem surgir durante esses períodos difíceis.

ESTABELEÇA UM PADRÃO E ATENHA-SE A ELE

Escutem, escutem-me, e comam o que é bom...

Isaías 55:2

Por acaso, tenho o metabolismo mais lento do que muitas pessoas com quem convivo diariamente. Foi assim por toda a minha vida. Quando era adolescente, eu desejava ser uma daquelas garotas que se pareciam com a Twiggy e podiam comer qualquer coisa que quisessem e ainda usar tamanho PP. Mas esse simplesmente não era o meu caso.

Como eu disse, minha gerente-geral pesa cerca de 42 quilos, no entanto, ela costuma comer mais do que eu, e eu peso cerca de 61 quilos. Esse é o meu peso normal, o meu "ponto de equilíbrio". Algumas vezes posso me permitir ganhar ou perder de 1,3 kg a 2,2 kg, mas quando isso acontece, costumo me obrigar a voltar à forma, dizendo "tudo bem, agora chega!".

Creio que todo mundo deveria fazer o mesmo.

Você deve saber qual é o seu peso correto e permanecer nele. Pode estar com alguns quilos a mais ou a menos que o seu peso ideal, mas deve haver um ponto que você está determinada a não ultrapassar. Quando chega a esse ponto, você precisa fazer algo com relação ao seu peso.

O alvo não é apenas chegar a determinado peso, mas ter um estilo de vida saudável. Se você quer permanecer saudável, precisa estabelecer padrões e limites para si mesma sem entrar em condenação. Você precisa decidir que não vai ser escrava de nada — nem do seu corpo.

HÁ UM LIMITE

> *Com que purificará o jovem o seu caminho? Dando ouvidos e vigiando [a si mesmo] conforme a Tua palavra [conformando a sua vida a ela].*
>
> SALMO 119:9, AMP

É isso que meu marido e eu fazemos. Posso garantir que todos aqueles que mantêm o peso também. A maioria admitiria que não pode comer tudo o que a carne deseja a qualquer hora e em qualquer quantidade. Eles estão mantendo o peso porque seguem os mesmos princípios que estou compartilhando neste livro. Portanto, ou eu estou confirmando que você está fazendo a coisa certa, ou estou lhe mostrando o que você pode fazer para chegar aonde quer — e para permanecer lá.

Sempre senti um pouco de inveja de Dave porque achava que não era justo que ele pudesse comer qualquer coisa que quisesse, enquanto eu sempre precisava vigiar meu cardápio.

Uma das lições que aprendi é que sentir pena de nós mesmos não vai acelerar o nosso metabolismo. Isso não é nada bom, mas é a pura verdade. Precisamos parar de olhar para os outros porque o que funciona para eles não vai necessariamente funcionar para nós. Temos de estabelecer um limite para nós mesmos e depois nos atermos ao que sabemos ser o melhor para nós.

BANANEIRA NÃO PODE DAR LARANJA

... Deus é forte, e Ele quer você forte.

EFÉSIOS 6:10, THE MESSAGE

Um dos administradores do meu ministério é casado com uma bela moça ruiva que é realmente magra. Ela deve usar tamanho PP, mais ou menos. Ela come sem parar. É italiana, e por isso come pratos de espaguete, almôndegas, massas e todos aqueles pratos altamente condimentados cobertos com queijo e molho. Mas continua com o mesmo tamanho *mignon*. Ela também é cheia de energia e está sempre fazendo alguma atividade, como mudar os móveis de lugar.

Obviamente, ela tem o metabolismo acelerado. Eu gostaria de ser assim. Mas sabe o que eu descobri? *Que uma bananeira não pode dar laranja!*

VOCÊ PODE!

... Posso fazer todas as coisas que Deus me pede com a ajuda de Cristo, que me dá a força e o poder.

FILIPENSES 4:13, ABV

Não, eu não sou como a minha gerente-geral de 42 quilos e nunca serei. Nem o meu metabolismo será como o daquela mocinha ruiva. Então, preciso lidar com a minha situação. Vou fazer o máximo com o que me foi dado. Não posso me dar o luxo de ficar sentindo pena de mim mesma ou de colocar a culpa pelos meus problemas em algo que não existe ou é imutável.

Há algum tempo, reclamei com meu marido: "Você pode comer qualquer coisa que deseja e nunca engorda".

"Deixe-me dizer uma coisa", ele respondeu. "Eu não como qualquer coisa que quero. Eu vigio o que como o tempo todo. Só não fico falando sobre isso. Se eu começo a ganhar um pouco de peso, corto certas coisas até que o excesso de peso vá embora".

Como você pode ver, Dave é uma daquelas pessoas que vencem em silêncio. Eu não. Se descubro que alguma coisa funciona para mim, subo na minha plataforma e começo a dizer a todo mundo o que precisa fazer. E o que estou compartilhando com você é a certeza de que alguma coisa pode ser feita quanto ao seu problema de peso, mesmo que ele seja causado por um metabolismo preguiçoso.

Agora, se você tem um problema de tireoide ou glandular, procure aconselhamento médico. Mas se é simplesmente uma dessas pessoas como eu, que têm o metabolismo lento, veja algumas das razões para isso e o que pode ser feito a respeito.

1. Dietas drásticas e alimentação montanha-russa.

Esse tipo de dieta do ioiô é perigoso porque desacelera o metabolismo corporal e faz com que ele volte a acumular gordura assim que a restrição alimentar é abolida. Quanto mais dietas ioiô as pessoas fazem, cada vez elas recuperam mais rapidamente o peso que perderam, ainda que comam menos.

Eu não acreditava naqueles que me procuravam afirmando terem feito uma dieta radical por semanas ou meses sem perder um único quilo — até que vi isso acontecer com minha filha.

Laura veio falar comigo reclamando por não conseguir perder peso. Eu disse a ela: "Se eu colocar você em uma dieta, garanto que vai perder peso". Então preparei uma dieta especial para ela e me certifiquei de que seguisse ao pé da letra. Ela não perdeu peso algum. Oramos juntas, e ela finalmente conseguiu perder cerca de 1 quilo e meio, mas só.

Eu sabia que ela não estava comendo muito, mas o seu peso se recusava teimosamente a diminuir. Isso me ensinou uma lição. Eu sempre dizia a todo mundo: "Se você não comer, vai perder peso. Se não está perdendo, é porque está comendo". Aprendi que o motivo pelo qual essas pessoas não estavam perdendo peso era porque o metabolismo delas estava tão desequilibrado que estava trabalhando para manter o mesmo peso — independentemente de quantas calorias elas estavam ingerindo.

Se é por isso que não perde peso, você precisa entrar em uma rotina regular de alimentação e seguir um bom programa de exercícios. Comece a comer alimentos bons e saudáveis — muitas frutas, vegetais e proteína de alta qualidade.

Refeições adequadamente equilibradas e exercícios físicos afetam o metabolismo. Quando a dieta e o exercício são realinhados, o metabolismo começa a trabalhar melhor.

2. Dar desculpas para comer em excesso e para comer as coisas erradas.

Se você quer realmente manter o seu peso ideal e ter o corpo na proporção certa para a sua estrutura física, uma das coisas mais importantes que precisa fazer é parar de dar desculpas:

"Mas todos na minha família estão acima do peso".

Sim, é verdade que o tamanho e a forma do corpo tendem a seguir uma herança genética. No meu caso, todos na minha família têm alguns centímetros a mais em determinado lugar do corpo, então decidi tomar cuidado e exercitá-lo o tempo todo. Minha filha mais velha tem o mesmo problema, e também os meus dois filhos. Todos nós temos as coxas grossas!

Na verdade, se você estudar as famílias, poderá ver que o tamanho e a forma do corpo em cada uma delas são praticamente os mesmos. Mas isso não significa que todos precisam estar excessivamente acima do peso.

"Mas é difícil demais!"

Um dia, o Senhor falou comigo e disse: "Joyce, pare de dizer que tudo é difícil; sempre que diz isso, você torna as coisas realmente mais difíceis".

Precisamos dizer coisas do tipo: "Com a ajuda do Espírito Santo, posso fazer tudo que for preciso. Se o meu metabolismo não funciona tão rápido, eu preciso simplesmente vigiá-lo. Vou seguir a dieta e o programa de exercício que o Senhor mostrou serem melhores para mim. Posso fazer isso por meio do poder do Espírito Santo".

Razão 6

Falta de Realização Espiritual

Razão 6

Falta de Realização Espiritual

E Jesus lhe respondeu, dizendo: "Está escrito que nem só de pão viverá e será sustentado o homem, mas de toda a palavra e expressão de Deus".

LUCAS 4:4

CREIO QUE MUITAS PESSOAS COMEM de forma excessiva simplesmente porque não estão realizadas espiritualmente. O que elas sentem não é uma fome física, mas espiritual.

Até mesmo muitos cristãos não passam tempo suficiente com Deus e Sua Palavra, por isso sentem um vazio que tentam preencher com comida.

Na próxima vez que estiver andando pela casa procurando algo para comer, sem descobrir o que é, experimente orar.

EM BUSCA DE CONSOLO

E sucedeu que ao quarto dia pela manhã, de madrugada, ele levantou-se para partir; então o pai da moça disse a seu genro:

Fortalece o teu coração com um bocado de pão...

Juízes 19:5, KJV

Uma das razões pelas quais as pessoas comem em excesso é por estarem procurando consolo. Elas estão buscando na comida o amor, a aceitação, ou a realização que está faltando em sua vida.

Se uma pessoa tem uma raiz de rejeição, abuso, vergonha, culpa, ou uma imagem inadequada dos pais ou de outras figuras de autoridade, em geral essa pessoa se sentirá rejeitada, terá uma autoimagem negativa e baixa autoestima.

No meu caso, por causa do abuso que sofri ao longo de minha infância, eu tinha uma atitude muito negativa com todo mundo e uma imagem muito negativa de mim mesma. Uma forma de compensar meus sentimentos de vergonha e a negligência que sofri era comer em excesso.

Ao longo dos meus anos de ministério, cheguei à conclusão de que oitenta por cento dos nossos problemas atualmente têm origem no fato de que, por uma razão ou outra, simplesmente não gostarmos de nós mesmos.

Ao falar e ministrar às pessoas, geralmente me vejo obrigada a dizer a elas: "O seu problema é que você não gosta de si mesmo. Você precisa aprender a gostar de si mesmo e a se aceitar, não por causa do que faz ou da sua aparência, mas por causa de quem é em Cristo Jesus" (ver Efésios 1:4-7).

Por favor, entenda que perder peso não tem nada a ver com quem você é em Cristo. Comer em excesso é um problema como qualquer outro. É uma evidência de falta de controle. E quando algo em nossa vida sai do controle, isso precisa ser colocado debaixo do controle do Espírito Santo porque passa a ser perigoso para a nossa saúde — tanto física quanto espiritual.

EM BUSCA DE EMOÇÕES POSITIVAS

> *Miserável homem que eu sou! Quem me libertará do corpo sujeito a esta morte? Graças a Deus por Jesus Cristo, nosso Senhor! De modo que, com a mente, eu próprio sou escravo da Lei de Deus; mas, com a carne, da lei do pecado.*
>
> ROMANOS 7:24,25

Deus criou em cada um de nós a necessidade de nos sentirmos bem conosco. Se não tivermos sentimentos positivos a cerca de nós mesmos, procuramos por eles geralmente fora de nós. Por isso, aqueles que sofreram abuso, rejeição e maus tratos, principalmente daqueles que lhes eram mais chegados, costumam por fim ter um sentimento de autoestima distorcido que os pressiona a buscar aprovação de maneiras inadequadas.

Nunca foi a vontade de Deus que buscássemos o nosso senso de valor pessoal e a nossa dignidade em fontes externas, como a opinião dos outros. Não precisamos da aprovação ou da afirmação externa, precisamos que tudo isso parta de nós — por causa de quem somos em Cristo.

O plano original de Deus era que o homem recebesse o seu senso de valor e dignidade do seu relacionamento com o Pai. Embora esse plano tenha sido destruído pela queda, por intermédio de Cristo ele nos foi restituído.

O problema é que com frequência, em vez de buscarmos a Deus como a fonte dos nossos sentimentos positivos, buscamos outras fontes. Alguns recorrem ao álcool para anestesiar a dor da rejeição, da perda ou da infelicidade. Outros recorrem às drogas ou até ao dinheiro.

O mesmo princípio se aplica à comida. Se os sentimentos positivos de que precisamos não partem de nós, muitas vezes tentamos nos consolar com a comida. Se ficamos angustiados com algum problema ou situação, normalmente a primeira coisa que fazemos é esticar a mão para pegar alguma coisa para comer. Em vez disso, deveríamos estender as mãos a Deus para obtermos o consolo de que precisamos.

O plano original de Deus era que o homem recebesse o seu senso de valor e dignidade do seu relacionamento com o Pai.

Quando você estiver machucada por dentro, quando se sentir deprimida, desanimada ou perturbada, não corra para a geladeira, corra para o Senhor. Não recorra à comida para consolar você, mas dependa do Espírito Santo que é o Consolador (João 16:7).

Em momentos assim, as pessoas não podem lhe dar o conforto de que precisa, só Deus pode. Quando algo a incomodar, se você for tentada a recorrer à comida para ser consolada, pare, ore e declare que você não será vencida por essa tentação. Se você sabe que tem uma fraqueza nessa área, ore muito a respeito. Deus a ajudará a resistir a essa tentação e a vencer essa fraqueza à medida que colocar a sua fé e confiança Nele como seu consolo e sua força.

O PROBLEMA DE PAULO

Não entendo o que faço. Pois não faço o que desejo, mas o que odeio. E, se faço o que não desejo, admito que a Lei é boa. Neste caso, não sou mais eu quem o faz, mas o pecado que

> *habita em mim. Sei que nada de bom habita em mim, isto é, em minha carne. Porque tenho o desejo de fazer o que é bom, mas não consigo realizá-lo.*
>
> ROMANOS 7:15-18

Nessa passagem, vemos Paulo enfrentando o mesmo problema que enfrentamos hoje: Ele era incapaz, na sua carne, de vencer a sua natureza humana essencial governada pelo princípio do pecado. No versículo 18, ele revela porque não era capaz de fazer as coisas boas que queria e desejava fazer, mas fracassava. Era por falta de poder.

O que Paulo reconhecia na própria vida é o que precisamos reconhecer também na nossa. Sem o poder do Espírito Santo, somos incapazes de resistir à nossa natureza humana e à atração exercida pela tentação sobre nós a fim de executarmos a vontade de Deus para nós.

O PROBLEMA DE JONAS

> *Mas Jonas fugiu da presença do Senhor, dirigindo-se para Társis. Desceu à cidade de Jope, onde encontrou um navio que se destinava àquele porto. Depois de pagar a passagem, embarcou para Társis, para fugir do Senhor.*
>
> JONAS 1:3

Algumas pessoas comem mais do que deveriam porque estão vivendo uma vida egoísta e egocêntrica. Elas estão tentando atender ao chamado de Deus sobre sua vida por meio da comida.

Quando eu era egocêntrica, era muito infeliz. As pessoas infelizes se sentem mal consigo mesmas, são inseguras e não têm autoconfiança. Pessoas assim costumam comer para se consolar. Deus quer que encontremos o nosso consolo Nele.

Outras pessoas podem ser como Jonas; elas estão fugindo de Deus. Assim como Jonas, elas geralmente terminam em um terrível caos.

Se você estiver espiritualmente satisfeita, verá como isso afetará até o seu apetite. Se estiver procurando preencher um vazio em sua vida por intermédio da comida, das compras, da televisão ou de qualquer outra coisa, o que precisa fazer é voltar-se para o Senhor e deixar que Ele preencha esse vazio com a Sua presença.

Razão 7

Falta de Realização Emocional

Razão 7

Falta de Realização Emocional

Bendito seja o Deus e Pai de nosso Senhor Jesus Cristo, Pai das misericórdias e Deus de toda consolação.

2 Coríntios 1:3

Muitas pessoas estão acima do peso porque lhes falta realização emocional. Se suas necessidades não são atendidas, elas comem em excesso para compensar.

Em um casamento onde um dos parceiros é insensível, frio, sexualmente indiferente ou infiel, o outro pode se voltar para a comida em busca de consolo.

Assim como algumas pessoas casadas são incapazes de construir um relacionamento conjugal saudável, outras que são solteiras são incapazes de construir uma vida social saudável. Elas podem comer para tentar preencher aquele vazio emocional, para superar seus sentimentos de insegurança, baixa autoestima e a sua sensação de fracasso.

Aqueles que têm uma vida financeira derrotada nunca conseguem comprar o que gostariam, se sentem privados e comem para preencher o que consideram ser uma vida vazia.

NECESSIDADES EMOCIONAIS SÃO REAIS

Ao voltarem, os apóstolos relataram a Jesus o que tinham feito. Então ele os tomou consigo, e retiraram-se para uma cidade chamada Betsaida.

LUCAS 9:10

É bom saber que até Jesus e Seus discípulos separavam um tempo para descansar e se recuperar. Descobri que fazer coisas para nós mesmos de forma equilibrada nos mantém emocionalmente saudáveis.

De vez em quando uma mulher pode precisar comprar um vestido novo, fazer as unhas, e ir ao cabeleireiro. Isso a realiza emocionalmente.

Deixe-me dar um exemplo da minha própria vida. Quando termino de ministrar em uma conferência, estou cansada. Sinto-me física, mental e emocionalmente exaurida. Quando saio do local, não tenho mais nada em mim para dar aos outros.

Descobri que quando chego em casa preciso fazer algo por mim mesma, ou então começo a sentir pena de mim mesma e ficar zangada.

Durante anos, eu costumava passar por esse processo sempre que saía de uma conferência. Eu voltava de uma série de reuniões onde o Espírito de Deus havia se movido com grande poder. Então, quando chegava em casa, eu agia como uma idiota. Comecei a perceber que o problema era o fato de não estar atendendo às minhas necessidades.

Às vezes, nós, cristãos, gostamos de pensar que não temos necessidade alguma. Mas Deus nos deu as mesmas emoções que deu a qualquer outra pessoa.

Agora, depois de uma conferência, posso ir para casa e assistir a um filme clássico na tevê. Posso ir fazer compras, posso chamar uma senhora conhecida e fazer uma massagem com ela. Seja o que for, preciso fazer alguma coisa de que eu realmente goste.

Se eu não fizer isso e simplesmente voltar logo a trabalhar, mais cedo ou mais tarde vou reagir emocionalmente. Posso ficar furiosa com Dave por ele ir jogar golfe e estar lá fora se divertindo enquanto eu estou em casa me sentindo mal. Se eu não tomar cuidado, acabo andando pela casa procurando alguma coisa para comer.

O meu problema não é o meu metabolismo, os meus hormônios ou qualquer coisa física. Ele é puramente emocional. Quando me comporto assim, estou vivendo uma vida desequilibrada. Não estou dando a mim mesma o que preciso para suprir minhas necessidades emocionais.

O homem pode ter o mesmo tipo de problema. Ele pode precisar jogar futebol, ir pescar, ou se envolver com alguma outra atividade de que goste.

É fato conhecido que eles precisam brincar. Sei que isso é verdade porque meu marido liga para um de seus amigos e pergunta: "Você pode fazer uma brincadeira hoje?".

Ora, obviamente ele está falando de golfe, e seu amigo sabe disso. Mesmo assim, o que ele está dizendo é verdade. Os homens precisam brincar.

Gosto de jogar golfe, mas não preciso disso tanto quanto Dave. Preciso fazer compras! Não importa se eu apenas ficar perambulando pelo shopping e por fim comprar apenas um par de brincos para mim, preciso atender às minhas necessidades emocionais.

Entretanto, sei que nada neste mundo — muito menos a comida — vai suprir de forma permanente as minhas necessidades emocionais mais profundas. Para isso, preciso buscar não as coisas, mas uma Pessoa.

BUSQUE A DEUS, E NÃO A COMIDA

Respondeu Jesus: "Eu sou o caminho, a verdade e a vida".

João 14:6

Pessoas feridas emocionalmente, que sofreram abuso, rejeição, ou foram abandonadas por aqueles a quem amam, geralmente comem em excesso. A resposta para elas é a mesma que para qualquer outra pessoa com qualquer outro tipo de problema emocional.

Em 2 Coríntios 1:3 a Bíblia nos diz que Deus é o Pai da misericórdia, da piedade, da simpatia, a Fonte de todo consolo, conforto e encorajamento. Como Seus filhos amados, devemos esperar Nele para suprir nossas necessidades, e não colocar essa expectativa nas coisas. Se permitirmos que Ele nos alimente com o que precisamos, não vamos engordar.

Jesus disse que Ele é o caminho, a verdade e a vida. Isso praticamente engloba todas as respostas para cada situação que experimentamos na vida.

Durante muitos anos, sofri abuso sexual, o que me deixou com todo tipo de problema. Quando somos feridos emocionalmente, podemos correr para a geladeira, para o álcool, para as drogas, ou até correr para as pessoas, mas nada disso irá resolver os nossos problemas de forma permanente. Essas coisas apenas entorpecerão a dor, mas a ferida continuará ali.

Em vez de correr para coisas ou para pessoas, precisamos correr para Jesus. Precisamos deixar que Ele nos ame, nos console, nos conforte e nos encoraje. Ele é o Deus da cura e da restauração.

Jesus ainda é a resposta.

Entretanto, tenho certeza de que esta mensagem sobre doze razões pelas quais as pessoas comem em excesso ou estão acima do peso pode parecer uma farsa se você estiver sofrendo há muito tempo com problemas emocionais que estão profundamente enraizados. Mas posso lhe dizer uma coisa sinceramente? Acredito de todo o meu coração que independentemente de qual seja o seu problema, de quanto tempo você vem sofrendo com ele, ou do quanto ele possa estar profundamente enraizado em seu coração, Jesus ainda é a resposta.

Jesus é o único caminho para que haja uma reviravolta em sua vida e para que você conquiste a vitória. Seja qual for a causa do seu sofrimento emocional, busque-o para ter consolo, conforto e encorajamento.

Razão 8

Solidão, Perda e Tédio

Razão 8

Solidão, Perda e Tédio

... Eu vim para que tenham vida, e a tenham plenamente.

João 10:10

A SOLIDÃO, A PERDA OU O TÉDIO podem levar uma pessoa a comer em excesso. Vamos examinar esses problemas um a um para aprendermos a lidar com eles.

LIDANDO COM A SOLIDÃO

"... Portanto, deixem a corrupção e as concessões com o pecado; deixem estas coisas para sempre", diz Deus. "Não se envolvam com aqueles que irão poluir vocês. Eu quero todos vocês para Mim".

1 Coríntios 6:17, THE MESSAGE

Não é necessário estar só para se sentir solitário. Se uma mulher é casada com um homem que se senta e assiste a jogos na tevê o tempo todo, ela pode estar solitária. Ela pode acabar indo à geladeira a cada trinta minutos ou a cada hora procurando alguma coisa que preencher o vazio que sente em sua vida.

Um homem pode estar casado com uma mulher que passa cada momento livre de sua vida na igreja, servindo nos departamentos e participando de todas as atividades. Nesse caso, ele pode sentir solidão.

Tanto os homens como as mulheres que são casados com pessoas viciadas em trabalho podem sentir solidão.

Aqueles que perderam o cônjuge ou cujos filhos cresceram e deixaram a casa podem sentir solidão.

Se você é uma dessas pessoas, não tente preencher o vazio com comida. Em vez disso, você precisa se determinar a construir uma vida nova. Essa vida só pode ser encontrada em uma Fonte.

Se você aceitou Jesus recentemente como seu Salvador e Senhor, a princípio você pode estar se sentindo só devido a uma separação das amizades erradas. Deus pode estar no processo de separar você, por um período, de pessoas exageradas até que você esteja mais arraigada e firmada Nele.

Passei por muitos anos de solidão enquanto Deus tentava me fazer entender que Ele era a coisa mais importante em minha vida.

Certa vez, anos atrás, orei: "Tu sabes, Senhor, que Tu me arruinaste para qualquer outra coisa além de Ti". Eu quis dizer que quando passei a conhecer o Senhor intimamente, nada mais na vida podia me manter feliz ou satisfeita a não ser Ele.

Eu havia me tornado viciada em Jesus, que é a resposta para todos os problemas da vida.

LIDANDO COM A PERDA

Mas o que para mim era lucro, passei a considerar perda, por causa de Cristo. Mais do que isso, considero tudo como perda, comparado com a suprema grandeza do conhecimento de Cristo Jesus, meu Senhor, por cuja causa perdi todas as coisas. Eu as considero como esterco para poder ganhar a Cristo e ser encontrado nele...

FILIPENSES 3:7-9

Sempre que perdemos alguma coisa importante para nós, ela deixa um vazio em nossa vida que precisa ser preenchido com algo mais. O problema ocorre quando tentamos preenchê-lo com a coisa errada — geralmente, comida.

Você pode ter perdido um ente querido, até mesmo um cônjuge. Se esse é o caso, há um vazio em sua vida. Alguma coisa que costumava estar lá não está mais. Em situações assim, é muito fácil se voltar para a comida em busca de consolo.

Você pode ter tido um ótimo emprego do qual realmente gostava, e agora, por algum motivo, não o tem mais. Você pode estar tentando preencher o vazio com comida.

Seus filhos podem ter saído de casa e você está passando pela síndrome do "ninho vazio". Se não tomar cuidado, poderá passar a comer na tentativa de satisfazer o vazio que sente interiormente.

Sempre que perdemos alguma coisa importante em nossa vida, experimentamos uma sensação de perda. Às vezes tentamos recuperar os sentimentos que costumávamos desfrutar por meio da comida.

Isso pode ser perigoso.

Deixe-me dar um exemplo. Parei de fumar há mais de vinte anos. Sempre tive medo de deixar o cigarro porque achava que iria ganhar peso. Então eu usava esse medo como uma desculpa para não abrir mão do cigarro.

Quando finalmente parei de fumar, fiquei realmente com fome, mas estava determinada a não tentar preencher esse vazio com comida. Eu mascava chicletes e bebia muita água, e depois de trinta ou quarenta dias eu havia eliminado as toxinas do meu corpo. Meu organismo começou a recuperar o equilíbrio, e eu já não queria mais comer em excesso.

Se eu tivesse começado a comer assim que senti as primeiras dores no estômago causadas pela fome, eu teria aberto mão de uma prática prejudicial apenas para substituí-la por outra prática prejudicial. Eu poderia ter resolvido um problema, mas teria criado outro.

Você precisa tomar muito cuidado nessa área. Quando Deus pede para você abrir mão de algo em sua vida, você precisa tentar não compensar a perda preenchendo o vazio com outra coisa que vai lhe causar tantos problemas quanto aquilo de que abriu mão.

É importante que você esteja determinada a construir uma nova vida. Essa nova vida está somente em Cristo.

LIDANDO COM O TÉDIO

(...) a serem renovados no modo de pensar (...).

EFÉSIOS 4:23

Muitas pessoas estão entediadas com a mesmice de sua vida. E pessoas entediadas geralmente comem demais.

Essa é uma questão com a qual preciso lidar constantemente. Por fazer sempre a mesma coisa o tempo todo, às vezes preciso lutar contra o tédio.

Quando vou falar em uma conferência, por exemplo, é sempre algo novo e empolgante para aqueles que assistem. Para eles, é uma mudança bem-vinda na sua rotina diária. Mas, para mim, significa fazer a mesma coisa que tenho feito durante o ano inteiro. Posso ter feito quinze conferências iguais àquela no mesmo mês.

Por isso, preciso me manter realmente perto de Deus e permitir que Ele mantenha a empolgação em minha vida que não estaria presente naturalmente.

Nós, que estamos no ministério, assumimos o compromisso de entregar nossa vida para servir a outros, e estamos felizes em fazer isso. Mas a verdade é que somos tão humanos quanto qualquer um. Ficamos tão cansados, tão esgotados quanto os outros, e tão entediados quanto aqueles a quem ministramos.

Às vezes lidamos tanto com a esfera espiritual que quando temos tempo para fazer algo na esfera natural, não sabemos o que fazer conosco.

Para os cristãos, geralmente é difícil encontrar entretenimento bom e sadio. Não existem muitos filmes que podemos assistir, nem muitas festas que podemos frequentar, nem muitas peças ou outros shows que podemos desfrutar. Certa vez, precisei me levantar e sair de uma ópera por causa da linguagem vulgar usada no palco.

Esse tipo de situação realmente me aborrece. Parece que Satanás está decidido a arruinar tudo neste mundo que o povo de Deus realmente aprecie para que eles fiquem entediados e não tenham mais o que fazer a não ser comer.

Realmente acredito que é por isso que muitos de nós, cristãos, estamos acima do peso. Simplesmente não conseguimos encontrar nada puro e sadio para ocupar nosso tempo, então nos voltamos para a comida, imaginando que isso não é pecado. Pode não ser um pecado, mas certamente pode ser uma armadilha do inimigo para nos destruir e destruir o nosso testemunho do Senhor.

SENTIR TÉDIO EQUIVALE A TER PNEUS!

Ora, o Senhor Deus tinha plantado um jardim no Éden, para os lados do leste; e ali colocou o homem que formara. O Senhor Deus fez nascer então do solo todo tipo de árvores agradáveis aos olhos e boas para alimento...

GÊNESIS 2:8,9

Quando Deus criou a terra, Ele fez todo tipo de coisas maravilhosas para o prazer do homem, e deu-as a ele para que as desfrutasse livremente. Então, além de liberdade, o Espírito Santo também gosta de variedade. Se o seguirmos, em vez de seguirmos algum programa prescrito e previamente organizado, não ficaremos entediados.

Em uma de minhas anotações sobre esse assunto de seguir cegamente regras e regulamentos dietéticos autoimpostos, escrevi: "Sentir tédio equivale a ter pneus!".

Geralmente ficamos entediados ao seguirmos o mesmo programa, comermos as mesmas comidas à mesma hora, e então ficamos descontentes — ou talvez apenas insatisfeitos.

Achamos que queremos mais comida, quando, na verdade, estamos desejando uma maior variedade de alimentos.

O mesmo princípio se aplica à oração e a todos os outros aspectos de nossa vida. Precisamos aprender a não nos colocarmos debaixo da lei porque ela não leva à liberdade que o Espírito Santo quer que tenhamos e desfrutemos como filhos de Deus.

Cuidado com o tédio. Aprenda a vencê-lo mantendo uma vida variada, inclusive no que diz respeito aos alimentos, sempre dependendo do poder e da presença do Senhor.

Razão 9

A Preocupação com Comida

Razão 9

A Preocupação com Comida

... Não andeis preocupados com a vossa própria vida, quanto ao que haveis de comer...
MATEUS 6:25

OUTRO MOTIVO PARA COMERMOS excessivamente é o fato pensarmos em comida o tempo todo. Manter a mente focada em comida atiça o apetite.

Essa é outra área na qual preciso tomar cuidado. Não estou bem certa do porquê esse é um problema tão grande para mim, mas creio que é por ter passado muitos anos fazendo dieta na minha juventude.

Meu marido não pensa em comida até sentir fome. Mas se eu não tomar cuidado, estarei pensando na minha próxima refeição antes de terminar a que estou comendo. Às vezes, enquanto estou fazendo uma refeição, já estou planejando a próxima.

Estou certa de que não estou sozinha nisso.

Parte do motivo pelo qual tendemos a pensar em comida o tempo todo é porque, em nossa sociedade, somos bombardeados com imagens de comida o tempo todo. Atualmente, em toda parte, vemos comerciais de televisão, anúncios em *outdoors*, revistas cheias de fotografias de coisas atraentes para se comer e beber. Se vamos ao cinema, podemos sentir o cheiro da pipoca antes mesmo de entrarmos pela porta da frente.

No mundo de hoje, é preciso ser uma pessoa muito determinada para evitar ceder à tentação de comer e ficar acima do peso.

PENSANDO E COMENDO EM EXCESSO

Assim, aquele que julga estar firme, cuide-se para que não caia!

1 Coríntios 10:12

Pensar tem muito a ver com comer. Se pensamos em comida o tempo todo, somos tão controlados por ela como seríamos se comêssemos sem parar.

Certa vez o Senhor me deu uma palavra que creio que resume todo esse ponto: "A luxúria nasce de um pensamento indisciplinado".

Veja o adultério, por exemplo. Será que duas pessoas simplesmente caem em um relacionamento de adultério sem pensar nem por um instante no assunto? Não, os relacionamentos de adultério não acontecem assim. Geralmente há muitos pensamentos errados que passam pela nossa mente antes de se chegar à ação errada.

O mesmo acontece com a comida. Uma das coisas que você e eu precisamos fazer é pedir a Deus para nos ajudar a disciplinar nossa mente para que ela não esteja voltada o tempo todo para a comida.

Se você sabe que tem a tendência de usar a comida para obter consolo, tem uma discussão com o seu cônjuge e começa a pensar em comida como uma forma de liberar a sua tensão acumulada, você precisa fazer alguma coisa antes que a situação saia do controle. Em vez de se sentar e pensar em comida, saia e faça alguma atividade. Varra o quintal ou arranque as ervas daninhas do canteiro de flores; jogue uma partida de vôlei ou de basquete, ou vá simplesmente dar uma volta pelo quarteirão — qualquer coisa para tirar sua mente da comida. Porque se você ficar sentado remoendo o assunto, mais cedo ou mais tarde vai acabar comendo para aplacar suas emoções agitadas.

Outro exemplo de pensamento indisciplinado está ligado a quando assistimos à tevê. Todos nós sabemos que não podemos ficar sentados assistindo à tevê sem pensarmos em comida em algum momento. De repente, aparece na tela uma imagem de alguma comida tentadora e, no minuto seguinte, achamos que seria uma grande ideia ir à cozinha e preparar algo saboroso. É aí que precisamos exercitar o pensamento correto e a força de vontade. A melhor maneira de resistir a esse tipo de tentação é colocando o nosso pensamento em outra coisa.

O apetite, como muitos outros desejos, é normal. O problema ocorre quando perdemos o controle. E isso geralmente acontece como resultado dos pensamentos errados. Como nos é dito pelo apóstolo Paulo, precisamos prestar atenção aos nossos pensamentos e tomar cuidado para não cairmos em tentação e pecado.

Em geral, nosso problema é basicamente a falta de disciplina mental, e isso nós só podemos adquirir com o compromisso total com a Palavra e a vontade de Deus na dependência do Seu Espírito Santo que habita dentro de nós.

Razão 10

Comer por Impulso

Razão 10

Comer por Impulso

... Os olhos nunca se saciam de ver...

Eclesiastes 1:8

Muitas pessoas comem em excesso simplesmente porque a comida está ali diante dos seus olhos, e elas não conseguem resistir. Acham que precisam provar tudo o que veem.

Meu filho certa vez me contou que uma das coisas mais difíceis que ele precisou fazer foi aprender a não pegar alguma coisa para comer quando vinha à minha casa.

Se ele entrasse e visse um prato de *cookies* ou um saco aberto de batatas chips no balcão da cozinha, ele quase que automaticamente os pegava e enfiava na boca, só porque estavam ali disponíveis.

Tome muito cuidado para não comer por impulso. Não pegue qualquer coisa e enfie na boca. Se você adotar o hábito de comer sem nem sequer perceber o que está fazendo, pode terminar descobrindo que está acima do peso e sem saber por quê.

IMPULSOS NORMAIS DA CARNE

Irmãos, não lhes pude falar como a espirituais, mas como a carnais, como a crianças em Cristo. Dei-lhes leite, e não alimento sólido, pois vocês não estavam em condições de recebê-lo. De fato, vocês ainda não estão em condições, porque ainda são carnais. Porque, visto que há inveja e divisão entre vocês, não estão sendo carnais e agindo como mundanos?

1 Coríntios 3:1-3

Como cristãos, a esta altura devemos ser maduros o suficiente para podermos distinguir entre a direção do Espírito Santo dentro de nós e as exigências ridículas que nos são impostas pela nossa carne — as quais a Bíblia se refere como sendo "impulsos comuns da carne". Impulsos que são obedecidos constantemente se tornam uma compulsão.

Imagine que você está no shopping e avistou uma etiqueta vermelha de liquidação em um artigo que amaria ter. De repente, você sente um impulso de comprá-lo, embora saiba não ter sido aquilo que foi comprar ali. Você passa por uma luta interna porque suas emoções estão lhe dizendo que você realmente precisa ter aquela roupa, que está em liquidação, e que nunca mais terá uma oportunidade assim.

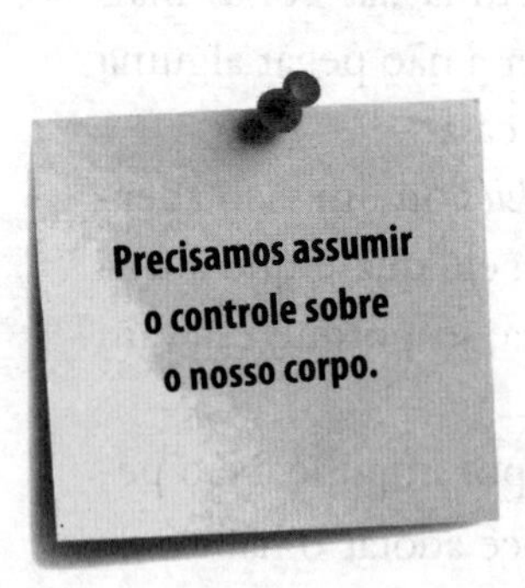
Precisamos assumir
o controle sobre
o nosso corpo.

É impressionante quanto sofrimento você pode evitar em situações como essas, permitindo-se ter apenas um tempinho para recuar e pensar antes de agir.

Esse é um exemplo do que a Bíblia está falando quando nos adverte sobre deixarmos nos controlar por impulsos comuns. Essa é uma tentação à qual todos nós precisamos aprender a resistir para o nosso bem — somente assim poderemos ter aquilo que realmente queremos.

COMENDO DE FORMA SELETIVA

Assim, quer vocês comam, bebam ou façam qualquer outra coisa, façam tudo para a glória de Deus.

1 Coríntios 10:31

Muitas vezes, o nosso único problema é que acabamos comendo o que está diante de nós ou o que é mais prático, em lugar de comermos de forma mais seletiva.

Devido ao meu ministério, viajo muito de avião. É muito fácil para as pessoas que viajam assim comer qualquer coisa que seja colocado diante delas, e muitas acabam fazendo isso. Mesmo se não estivermos com fome, podemos engolir amendoins ou batatas chips com sabor de queijo como se estivéssemos morrendo de fome, só porque isso está sendo servido. Muitos desses tira-gostos não têm nenhum valor alimentício real, e muitas vezes são cheios de calorias, gordura, colesterol e sódio, no entanto, é fácil ingeri-los sem nem pensar por que razão eles foram colocados diante de nós.

Certa vez o Senhor falou com uma jovem da nossa equipe dizendo o seguinte: "Você come qualquer coisa que qualquer um coloque debaixo do seu nariz sem sequer parar e pensar se quer comer aquilo ou não".

Isso aconteceu bem depois de uma noite em que aquela jovem foi à casa de sua irmã e comeu um pedaço de torta que, na verdade, ela não queria comer, só porque havia sido colocado diante dela pelo seu cunhado.

Depois, ela perguntou a si mesma: "Por que eu comi aquele pedaço de torta?". O Senhor falou com ela e disse: "Porque você é passiva quanto à sua alimentação.Você deve ser seletiva".

O que Deus disse a ela, está dizendo a você e a mim hoje. Ele está nos dizendo para pensarmos melhor naquilo que é colocado diante de nós ou no que escolhemos e colocamos na boca simplesmente porque está ao nosso alcance.

Precisamos assumir o controle sobre o nosso corpo. Devemos tomar cuidado para mantê-lo em boas condições de funcionamento, porque ele é o veículo que usamos para desempenhar o trabalho que Deus nos deu para realizar nesta terra.

Peça ao Senhor para ajudá-la a manter os seus impulsos sob controle e a fazer um bom julgamento, para que assim você possa comer de forma seletiva.

Razão 11:

Alimentação Passiva

Razão 11:

Alimentação Passiva

O preguiçoso não pega a sua caça para assá-la depois de tê-la matado...

PROVÉRBIOS 12:27

MUITAS PESSOAS ESTÃO ACIMA DO PESO simplesmente por causa do tempo e do esforço que são necessários para ficarem magras e em forma.

Comprar com atenção o tipo certo de alimento e depois prepará-lo de forma adequada exige esforço. Para algumas pessoas, principalmente para aquelas que têm filhos pequenos e uma agenda apertada, seguir um programa de alimentação balanceada pode exigir o preparo de refeições diferentes para elas e para o resto da família. Isso exige esforço. Também é necessário se esforçar para nos exercitarmos regularmente e termos um tempo certo para descanso e recreação.

Há outras pessoas que são simplesmente preguiçosas demais e não querem fazer o esforço necessário para realizar tudo isso! Elas preferem apenas seguir a lei do menor esforço, muitas vezes por causa do sucessivo fracasso que experimentaram ao tentar diferentes dietas. Assim, elas continuam reclamando e dando desculpas para o excesso de peso. Elas não entendem que há uma maneira de controlá-lo, ou preferiram desistir de ter esperanças.

AS VERDADEIRAS RAZÕES PARA ESTAR ACIMA DO PESO

Irmãos, vocês foram chamados para a liberdade. Mas não usem a liberdade para dar ocasião à vontade da carne, ao contrário, sirvam uns aos outros mediante o amor...

GÁLATAS 5:13

Vimos que precisamos vigiar com relação a usarmos a nossa liberdade espiritual como um incentivo para satisfazer nossos desejos carnais. Também vimos que precisamos ficar de guarda para não darmos desculpas para o fato de não assumirmos o controle sobre a nossa alimentação e sobre o nosso peso, do tipo "o meu metabolismo trabalha mais devagar que o das outras pessoas".

Vimos que embora seja verdade que cada um de nós tem uma velocidade diferente de metabolismo, essas velocidades individuais podem ser equilibradas e começarem a funcionar em um ritmo perfeito por intermédio da alimentação correta e dos exercícios.

Agora, vamos ver algumas das outras desculpas que costumamos dar para a nossa alimentação errada e para o nosso problema de peso.

1. "Minhas roupas estão encolhendo!"

Na última vez que ganhei peso, primeiro tentei pôr a culpa nas minhas roupas em vez de no meu tamanho. Quando queria colocar um vestido ou uma saia que havia ficado apertada demais, eu reclamava com meu marido: "O que a lavadeira está fazendo com as minhas roupas? Será que está jogando na secadora e fazendo com que elas encolham?".

Se eu vestisse uma peça de roupa que havia sido mandada para a lavanderia, eu me queixava com Dave: "O que essas pessoas da lavanderia estão fazendo com as minhas roupas? Elas estão encolhendo!".

Depois, eu subia na balança e via que havia engordado cerca de 3 quilos. De repente, a ficha caiu. O problema não eram as minhas roupas. Elas não estavam ficando menores, mas era eu quem estava ficando maior!

2. "Tudo o que como vira gordura!"

Outra desculpa popular é: "Eu quase não como nada, mas mesmo assim ganho peso. Tudo o que como vira gordura!".

A verdade é que geralmente comemos mais do que achamos que comemos. Aprendi essa lição há anos, quando o Senhor me colocou em um jejum parcial de dez dias.

Uma das coisas que Deus me revelou por meio desse jejum foi o quanto eu realmente estava comendo todos os dias — principalmente quando beliscava, o que pode ser algo muito traiçoeiro.

Até fazer esse jejum parcial e precisar prestar muita atenção a tudo que colocava na boca, eu não havia percebido com que frequência pegava pequenas porções de alimento fora das refeições.

Por exemplo, quando abria a geladeira para pegar um pedaço de queijo para meus filhos, eu geralmente o partia ao meio, dava uma parte a eles e comia a outra. Eu nunca contava esse tipo de "lanchinho às escondidas" como parte da minha alimentação. Se eu fizesse isso oito ou dez vezes por semana, você pode imaginar quanto queijo eu estava comendo sem considerar isso como parte da minha dieta.

Eu também pegava comida do prato de meu marido e de meus filhos ou diretamente das travessas sem levar em conta o número de calorias que estava ingerindo. Uma vez que eu não chamava isso de "comer", eu não levava nada disso em consideração quando calculava o meu total de calorias ingeridas durante a semana.

Descobri que quando dizia que não comia quase nada, eu estava me enganando. Eu estava comendo muito mais do que percebia. Também precisei encarar o fato de que tudo que eu comia não se transformava em gordura, mas entrava em meu corpo e ele recebia e armazenava o excesso como gordura! Como minha filha disse recentemente: "Mamãe, temos de encarar os fatos. Tudo que colocamos em nossa boca conta!".

3. "Não consigo evitar!".

Costumamos dizer coisas do tipo: "Não consigo evitar, os meus nervos me fazem comer". É claro que sabemos não ser bem assim. Comemos porque decidimos comer, e não porque os nossos nervos nos dão ordens.

Ou podemos dizer: "Não consigo evitar! Tenho baixa taxa de açúcar no sangue e preciso comer a cada duas horas". Pode ser que sim, mas se comermos os alimentos corretos a cada duas horas, isso manterá o nosso nível de açúcar no sangue equilibrado sem fazer com que ganhemos peso.

Ou podemos dizer: "Não consigo evitar, eu simplesmente ganho peso com facilidade". Mais uma vez, isso pode até ser verdade. Mas é por isso que precisamos comer os alimentos certos na quantidade certa — para não ganharmos peso com tanta facilidade.

Por fim, podemos tentar colocar a culpa em outras coisas em nossa vida, como o tabaco: "Não consigo evitar, parei de fumar, e isso me faz comer". Circule a palavra "isso". Enquanto colocarmos a culpa pela nossa má alimentação em alguma coisa ou em alguém além de nós mesmos, vamos continuar acima do peso e tendo problemas com a nossa saúde.

A verdade que muitos de nós deveríamos entender é esta: "Estou acima do peso porque estou ingerindo mais calorias do que o meu corpo queima. Como as coisas erradas na quantidade errada. Tenho vivido no ciclo de 'banquete e fome' por tanto tempo que o metabolismo do meu corpo está confuso, de modo que ele não consegue funcionar corretamente. Preciso passar um período tratando bem do meu corpo para que ele comece a funcionar adequadamente outra vez".

Quando as pessoas entendem que as razões "óbvias" pelas quais elas achavam que estavam acima do peso não são as razões verdadeiras, elas têm esperanças de que realmente possam perder peso. A verdade ajuda a lhes dar uma nova determinação quando percebem que realmente podem ser livres.

Com a ajuda do Senhor você pode colocar a sua alimentação e o seu peso sob controle. Você se sentirá muito melhor fisicamente — e muito melhor consigo mesma.

Razão 12

Falta de Domínio Próprio

Razão 12

Falta de Domínio Próprio

Então ele chamou a multidão e os discípulos e disse: "Se alguém quiser acompanhar-me, negue-se a si mesmo".

MARCOS 8:34

EM ÚLTIMO LUGAR, AS PESSOAS COMEM em excesso porque não estão dispostas a dizer não para si mesmas.

Há algum tempo, nosso filho Danny perdeu 30 quilos. Nós nem sabíamos que ele estava tentando perder peso. Ele foi grande a vida inteira. Tem 1,94 metros e usa sapatos tamanho 46, de modo que ele é um jovem naturalmente grande.

Mas embora tenha sido grandão a vida inteira, seu pai e eu começamos a perceber que ele estava perdendo peso, então perguntamos a ele sobre isso. Ele admitiu que havia feito uma dieta e simplesmente continuou perdendo peso até eliminar todos os quilos que desejava eliminar.

Curiosa sobre como havia conseguido manter sua dieta tão bem, perguntei a ele: "Dan, você nunca fica com fome?".

"Sim, é claro que fico", ele respondeu.

"E o que você faz quanto a isso?", perguntei.

"Nada", ele respondeu. "Isso passa".

Outra pessoa que precisava perder peso ouviu isso e me disse mais tarde: "O que Danny disse me ajudou mais do que qualquer coisa até hoje. Percebi que só porque as pessoas são magras, não significa que elas nunca ficam com fome. Significa apenas que aprenderam a dizer não a si mesmas e estão dispostas a se sentir desconfortáveis às vezes".

Embora Danny tenha perdido 30 quilos, isso nem sempre foi fácil. Houve momentos em que ele precisou negar a si mesmo, e outros em que foi necessário estar disposto a se sentir desconfortável por algum tempo.

RAZÕES X DESCULPAS

Por isso dediquei-me a aprender, a investigar, a buscar a sabedoria e a razão de ser das coisas...

ECLESIASTES 7:25

Razões são totalmente diferentes de desculpas. Uma razão é o que nos fez ser como somos; uma desculpa é o que nos mantém desse jeito.

Alguns de nós estamos acima do peso porque sofremos abuso na infância, e compensamos isso comendo em excesso.

Alguns de nós estamos acima do peso porque crescemos na pobreza e nunca tivemos o suficiente para comer, então, agora que temos muito, somos indulgentes demais.

Alguns de nós estamos acima do peso porque não éramos populares ou porque as pessoas não gostavam de nós, ou porque nos sentíamos inferiores ou não éramos amados, então comemos para ter o consolo que a comida oferece.

Todas essas razões para comermos em excesso ou para estarmos acima do peso são válidas, mas se não tomarmos cuidado podem se transformar em desculpas para continuarmos do jeito que estamos.

A VERDADE LIBERTA VOCÊ

E conhecerão a verdade, e a verdade os libertará.

João 8:32

Como mencionamos anteriormente, Jesus nos prometeu que se realmente quisermos conhecer a Verdade, nós a conheceremos, e ela nos libertará. Precisamos passar tempo com Deus, pedindo a Ele que nos revele o motivo pelo qual comemos em excesso, não para podermos desculpar o nosso comportamento, mas para sermos libertos de qualquer coisa que esteja causando isso.

Entretanto, para algumas pessoas as razões realmente se tornam desculpas. Deixe-me dar um exemplo da minha própria vida.

RAZÃO NÃO É DESCULPA

"Venham, vamos refletir juntos", diz o Senhor. "Embora os seus pecados sejam vermelhos como escarlate, eles se tornarão brancos como a neve; embora sejam rubros como púrpura, como a lã se tornarão. Se vocês estiverem dispostos a obedecer, comerão os melhores frutos desta terra".

Isaías 1:18,19

Pelo fato de ter sofrido abuso e de ter sido maltratada e controlada durante toda a minha infância, eu cresci com uma atitude e uma visão do mundo muito negativa. Eu sentia pena de mim mesma, ficava constantemente deprimida e era extremamente crítica e temperamental. Se as coisas não corressem exatamente como eu queria, eu tinha um ataque de nervos. Colocava a culpa de tudo de errado que acontecia na minha criação, afirmando: "Eu sou do jeito que sou por causa da maneira como fui tratada".

Antes que eu pudesse conquistar a vitória sobre a minha situação, uma das verdades que o Senhor precisou me comunicar em alto e bom som foi esta: "Sim, este é o motivo pelo qual você é como é, mas não é desculpa para continuar assim!".

Essa verdade finalmente me libertou.

A ESCOLHA É SUA!

> *Hoje invoco os céus e a terra como testemunhas contra vocês, de que coloquei diante de vocês a vida e a morte, a bênção e a maldição. Agora escolham a vida, para que vocês e os seus filhos vivam.*
>
> Deuteronômio 30:19

Certa vez, uma jovem que trabalha no nosso ministério me disse: "Deus me disse que não é culpa minha se sou do jeito que sou".

A minha resposta foi: "Isso pode ser verdade. Talvez não seja culpa sua ser do jeito que é, mas é culpa sua se permanecer do jeito que está".

Eu não pretendia que essa afirmação soasse áspera. Apenas acreditava ser necessário que eu dissesse isso a fim de ajudá-la a evitar o engano de usar a razão para ser daquele jeito como uma desculpa para continuar assim.

Sei como a carne é. Todos nós procuramos algo para nos agarrarmos na tentativa de evitar assumir a nossa responsabilidade pela mudança. Embora Deus possa nos garantir que sermos assim não é culpa nossa, Ele nunca permitirá que transfiramos para outros a nossa responsabilidade de mudar.

No meu caso, o Senhor disse: "Joyce, não estou dizendo que você não tem motivos para sentir pena de si mesma. Qualquer pessoa que tenha sido tratada como você foi tem todos os motivos para se sentir mal. Mas você não tem o direito de fazer isso, porque Eu estou disposto a libertá-la. Você pode viver cheia de pena ou cheia de poder. A escolha é sua".

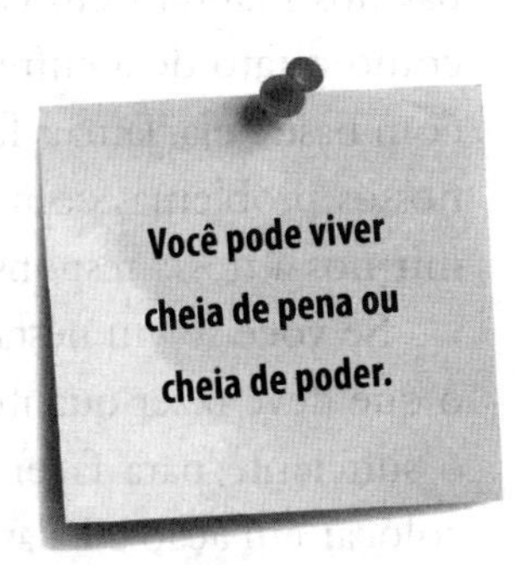
Você pode viver
cheia de pena ou
cheia de poder.

QUAL É A SUA ESCOLHA?

A palavra está bem próxima de vocês; está em sua boca e em seu coração; por isso vocês poderão obedecer-lhe. Vejam que hoje ponho diante de vocês vida e prosperidade, ou morte e destruição.

Pois hoje lhes ordeno que amem o Senhor, o seu Deus, andem nos seus caminhos e guardem os seus mandamentos, decretos e ordenanças; então vocês terão vida e aumentarão em número, e o Senhor, o seu Deus, os abençoará...

DEUTERONÔMIO 30:14-16

Nesta parte do livro, examinamos algumas das razões para as desordens alimentares que atormentam tantos de nós. Espero que, fazendo isso, tenhamos realmente adquirido algum entendimento da verdade para que possamos ser livres.

Depois de ter lido essa parte, faça um acordo consigo mesma. Independentemente do número de razões que Deus lhe mostrou para estar como está, você vai se alegrar nessa verdade, mas não vai permitir que essas razões se tornem desculpas para continuar do mesmo jeito.

Foram as razões que nos colocaram no cativeiro. As desculpas nos mantém em cativeiro. A verdade nos liberta — bem como o fato de a enfrentarmos, aceitarmos, e depois agirmos com base nela. Jamais faremos progresso algum para vencer os nossos problemas com a alimentação e com o peso até assumirmos a nossa responsabilidade pessoal.

Se você se viu nesta seção, peça ao Senhor para lhe revelar o que deve fazer quanto à sua situação. Então, seja responsável o suficiente para fazer o que Ele lhe revelar, crendo que ao colocar em ação a Palavra da Verdade, ela realmente a libertará.

Se você está disposta a negar a si mesma, ainda que isso signifique algum desconforto, se tiver a força de vontade para comer as coisas certas e a determinação para seguir um programa de exercícios sensato, você está a caminho de resolver os seus problemas de alimentação e de peso.

Conclusão:

O Plano de Deus para a Alimentação

Conclusão:

O Plano de Deus para a Alimentação

"Porque sou eu que conheço os planos que tenho para vocês", diz o Senhor, "planos de fazê-los prosperar e não de lhes causar dano, planos de dar-lhes esperança e um futuro".
JEREMIAS 29:11

A MAIORIA DAS DIETAS FRACASSA PORQUE se baseia no princípio da fome. Elas negam ao corpo a nutrição da qual ele necessita para manter sua saúde e vitalidade. Sempre que o corpo é privado de suas necessidades básicas, mais cedo ou mais tarde ele começa a se rebelar e a exigir aquilo que precisa para funcionar adequadamente. O resultado em geral é o ciclo do "banquete e fome" ("comer demais e passar fome") — que é a razão pela qual os quilos que perdemos são rapidamente recuperados.

Esse não é o plano de Deus.

FAÇA DO JEITO DE DEUS!

Ensina-me o teu caminho, ó Senhor; conduze-me por uma vereda plana e segura...

SALMO 27:11

Deus tem um plano para tudo na vida, e esse plano funciona independentemente da pessoa que o segue ser salva ou não. Por exemplo, o princípio da colheita e da semeadura, "... pois o que o homem semear, isso também colherá" (ver Gálatas 6:7), funciona para o incrédulo assim como para o crente.

O mesmo acontece com a alimentação. Se quisermos realmente manter um peso adequado e colher os benefícios da boa saúde decorrente dele, precisamos comer de acordo com o plano de Deus. Não existe outra solução de efeito permanente, só existem soluções temporárias que geralmente terminam em infelicidade e frustração.

Conheço muitas pessoas que desperdiçam muito tempo e dinheiro seguindo diversas dietas da moda em uma tentativa desesperada de perder alguns quilos a mais. Embora possam perdê-los por algum tempo, elas invariavelmente os ganham de volta — e podem geralmente ganhar até mais.

É um círculo vicioso.

Conheço uma senhora que fez uma dieta de líquidos e depois de certo período perdeu de 27 a 30 quilos. Passado algum tempo, encontrei com ela em um shopping, e ela havia recuperado cada quilo perdido.

Por que isso aconteceu? Porque em todo o processo da sua dieta, ela não adquiriu realmente bons hábitos de alimentação. Ela não estava alimentando o seu corpo adequadamente.

Negando ao seu corpo o que ele precisava para ter saúde e energia, ela estava literalmente fazendo-o passar fome. Assim que parou de passar fome e começou a comer novamente, ela recuperou tudo de novo. Como acontece com frequência, ela logo estava novamente com a sua alimentação fora de controle.

Este é o ciclo costumeiro das dietas: da fome ao descontrole. Isso não é apenas frustrante, como também perigoso. Esse não é o jeito de Deus.

OUÇA ANTES DE COMER

Quer você se volte para a direita quer para a esquerda, uma voz atrás de você lhe dirá: "Este é o caminho; siga-o".

ISAÍAS 30:21

Quer comamos as coisas erradas ou comamos em excesso porque estamos descontroladas, ou temos algum tipo de medo emocional de passar fome, ou ainda por causa de algum outro problema psicológico ou espiritual, o motivo fundamental ainda é o mesmo. Fomos programados da maneira errada no que se refere à alimentação. Precisamos ser reprogramados de acordo com o plano e a vontade de Deus para nós.

A maneira como nos reprogramamos nessa área é passando tempo com Deus antes de cada refeição e ouvindo-o antes de começarmos a comer. Não quero dizer com isso que precisamos sair de onde estivermos para nos ajoelhar e orar antes de colocar qualquer coisa na boca. Mas precisamos estar atentos ao Espírito Santo que está dentro de nós, aprendendo a nos comunicar com Ele sobre o que comer e a quantidade que devemos comer.

LIDANDO COM A TENTAÇÃO

E não nos deixes cair em tentação, mas livra-nos do mal...

MATEUS 6:13

Na nossa sociedade moderna muito voltada para a comida, não há como ficar longe dela ou da tentação que geralmente a acompanha. Jesus nos disse que neste mundo teremos tentações (João 16:33). É por isso que Ele também nos disse para orarmos a fim de não cairmos em tentação (Lucas 22:40;46). Ele sabia que embora o nosso espírito esteja disposto a resistir à tentação de comer de forma errada, a nossa carne é fraca nessa área (Mateus 26:41).

Se você está cansada de viver em cativeiro, resista à tentação de seguir as regras e os regulamentos das dietas. Resista também aos desejos da carne, que geralmente é comer o que você nem mesmo deseja! Aprenda a depender do poder do Espírito Santo dentro de você para ajudá-la a resistir aos impulsos comuns da sua natureza carnal a fim de que possa escolher o que o seu corpo realmente quer e necessita.

Deus quer nos libertar do cativeiro que impusemos a nós mesmos, mas Ele precisa esperar até chegarmos ao ponto de realmente ouvi-lo. Agora que fui liberta, posso ajudar muitos outros que estão passando pelas mesmas coisas que suportei por tanto tempo.

A lição que todos nós precisamos aprender é que nos privar de alimentos não é a resposta. Isso só leva à tentação — e à infelicidade que a acompanha.

VOCÊ FICARÁ SATISFEITA COM COISAS BOAS

Os pobres comerão até ficarem satisfeitos; aqueles que buscam o Senhor o louvarão! Que vocês tenham vida longa!

SALMO 22:26

A verdade é que vamos acabar comendo de uma forma ou outra. Se o fizermos corretamente, não nos sentiremos privadas, nosso corpo queimará o que comermos em uma velocidade normal e, finalmente, o nosso peso diminuirá até o nível que é ideal para nós.

Se você está acima do peso e começar a comer o que Deus criou, mantendo-se ligada com o seu corpo, que está sob o controle do Santo Espírito de Deus, e não com a sua natureza carnal, você descobrirá que pode comer qualquer coisa que realmente deseja e ainda assim continuar magra. E você não ficará por aí se sentindo faminta ou privada dos alimentos ou com pena de si mesma. Quando fico com fome, se na mesma hora enfiar alguma coisa na minha boca, geralmente acabo comendo algo errado e que não me satisfaz por muito tempo. Então, acabo comendo mais alguma coisa. Mas se eu tirar um minuto para ponderar sobre o que realmente quero, e depois comer isso, fico satisfeita. Quando estou realmente com fome, a minha carne pode querer um grande hambúrguer gorduroso com todos os acompanhamentos. Mas, em geral, basta um minuto pensando cuidadosamente para saber que, na verdade, eu preferiria um sanduíche de peru com pão integral e alface, tomate, cebola, maionese sem gordura e mostarda.

Na maior parte do tempo, você descobrirá que se servindo das porções normais de uma comida boa e nutritiva, você ficará satisfeita. Você não se sentirá faminta ou fraca, porque estará comendo os alimentos certos na quantidade certa.

Se fizer boas escolhas, você será mais feliz e mais saudável. Não se sentirá deprimida porque passou fome e depois exagerou. Você terá aprendido a controlar o seu peso porque pode controlar os seus "impulsos ordinários". Terá aprendido a comer e ficar magra, e por causa dessa liberdade, estará pronta para se abrir e receber de Deus tudo de bom que Ele está pronto a lhe dar!

Vitória e Liberdade para Você!

Ao encerrar, gostaria de dizer que creio sinceramente que você pode ter vitória e ficar livre de passar a sua vida em uma luta constante contra a comida. Se já tem problemas há muito tempo nessa área, saiba que sinto compaixão por você. Creio que você pode aplicar os princípios simples e práticos deste livro e alcançar o seu peso ideal. Entrei em concordância com outras pessoas em oração no sentido de pedir a Deus que aqueles que leiam este livro vivam uma transformação e obtenham vitória nessa área de cativeiro, por meio da verdade que o Espírito Santo revelar a eles e por intermédio do Seu poder.

Encorajo você a não escolher como meta um peso abaixo do que a sua estrutura física consegue administrar bem. Algumas pessoas querem se parecer com alguém cujo corpo admiram, mas o fato é que não fomos feitos para ser outra pessoa. Deus nos ajudará a sermos tudo que Ele deseja que sejamos — com o peso certo para nosso tamanho e nossa estrutura.

Você pode ter experimentado todo tipo de dietas e programas no passado, e comprou este livro esperando ter encontrado uma nova "dieta" que funcionasse para você. Acredito que você encontrou! É a alimentação dirigida pelo Espírito, aliada a uma quantidade certa de exercício. Estou certa de que a indústria da dieta ganha milhões, se não bilhões, de dólares por ano. É interessante ver que Deus incluiu no Seu livro (a Bíblia) todas as instruções que necessitamos para pesarmos o que Ele quer que pesemos — o peso ideal para nós.

No "plano de dieta" de Deus, você adquire bons hábitos alimentares que passam a ser um estilo de vida. Com esse estilo de vida, você perde peso gradualmente, sem engordar novamente.

Frequentemente procuramos respostas em toda parte antes de descobrirmos que Deus sabia qual era a solução o tempo todo. Existem alguns programas disponíveis hoje em dia que ensinam às pessoas esses mesmos princípios, porém de maneira um pouco diferente. Se o fato de fazer parte de um grupo ajuda você, e se realmente sentir que Deus quer isso para você, vá em frente! O desejo principal que eu tinha em meu coração quando escrevi este livro foi o de ensinar às pessoas que elas podem ser *livres* nessa área — fazer dieta eternamente é viver em um cativeiro, e Deus enviou Jesus para nos libertar! Lembre que Deus, a princípio, disse a Adão e Eva que eles podiam comer *livremente*. Não creio que o Seu plano original tenha mudado. Ele quer que cada um de nós seja livre para desfrutar as coisas boas que providenciou para nós, mas Ele não quer que sejamos controlados por elas.

Já orei para que cada pessoa que ler este livro seja abençoada por ele de uma maneira muito positiva. Orei por você, para que, por meio do poder de Deus, esses princípios funcionem, ajudando-a a experimentar a alegria da liberdade nessa área.

Vamos unir nossas orações em concordância para que muitas pessoas que precisam ser livres do cativeiro da luta constante contra a comida finalmente sejam libertas para alcançar e manter o peso que Deus deseja para elas. Elas serão livres para seguirem em frente e atingirem as alturas que Deus planejou para elas — para se tornarem tudo o que Deus pretende que sejam!

Orações

Oração por um Relacionamento Pessoal com o Senhor

Deus quer que você receba o Seu dom gratuito da salvação. Jesus quer, mais do que tudo, salvar você e enche-la com o Espírito Santo. Se você nunca convidou Jesus, o Príncipe da Paz, para ser o seu Senhor e Salvador, eu a convido a fazer isso agora. Faça a seguinte oração, e se for realmente sincera, você terá uma nova vida em Cristo.

Pai,

Tu amaste tanto o mundo, que deste o Teu único Filho para morrer pelos nossos pecados para que todo aquele que crer Nele não pereça, mas tenha vida eterna.

A Tua Palavra diz que somos salvos pela graça por meio da fé, como um dom Teu. Não há nada que possamos fazer para merecer a salvação.

Creio e confesso com a minha boca que Jesus Cristo é o Teu Filho, o Salvador do mundo. Creio que Ele morreu na cruz por mim e levou todos os meus pecados, pagando o preço por eles. Creio em meu coração que Tu ressuscitaste Jesus dentre os mortos.

Eu Te peço que perdoes os meus pecados. Eu confesso Jesus como meu Senhor. De acordo com a Tua Palavra, sou salva e passarei a eternidade contigo! Obrigada, Pai, sou tão grata a Ti! Em nome de Jesus, amém.

Ver João 3:16; Efésios 2:8,9; Romanos 10:9,10; 1 Coríntios 15:3,4; 1 João 1:9; 4:14-16; 5:1;12,13.

Oração por Libertação do Cativeiro da Escravidão à Comida

Pai,

venho a Ti no poderoso nome de Jesus Cristo. Sei que Jesus pagou o sacrifício para que pudéssemos ser livres, e sei que Tu queres que todos nós sejamos livres para comer e permanecermos magras. Tu queres que sejamos capazes de nos sentar para fazer uma refeição e comer sem medo de engordar por causa do que comemos.

Sou livre pelo poder da Tua Palavra. Creio que Tu me darás força para fazer o que agora sei que preciso fazer para me libertar dos cativeiros que têm me impedido de ter todas as coisas belas que Tu planejaste para mim. Eu Te agradeço porque sou livre pelo sangue de Jesus e pelo sacrifício que Ele fez na cruz do Calvário. Obrigada por me tornar livre por meio da verdade da Tua Palavra e por derramar sobre mim o Teu poder, a Tua força e a Tua sabedoria para comer e ficar magra! Ajuda-me a ter o peso que Tu queres que eu tenha e para ser tudo que Tu queres que eu seja. Em nome de Jesus, amém.

Referências

Allison, Katherine Cahill. *American Medical Association Complete Guide to Women's Health*. New York: Random House, 1996.

Edlin, Gordon, Golanty, Gordon. *Health and Wellness*. Boston: Jones and Bartlett, 1992.

Epps, Roselyn P., Stewart, Susan C. edições médicas. *The Women's Complete Healthbook/The American Women's Association*. New York: Delacorte Press; Bantam Doubleday Dell Publishing Group, Inc., 1995.

The Good Health Fact Book. Pleasantville, New York: The Reader's Digest Association, 1992.

Gor, Ron, Goor, Nancy, Boyd, Katherine. *The Choose To Lose Diet*. Boston: Houghton Mifflin Company, 1990.

Larson, David E. ed. *Mayo Clinic Family Health Book*. William Morrow and Company, Inc, 1996.

Sharkey, Brian J. *Physiology of Fitness*. Champaign: Human Kinetics Books, 1990.

Notas

CAPÍTULO 1

1 Mateus 26:41

PARTE 2

RAZÃO 1

[1] Com base em *The Women's Complete Healthbook*, p. 49.

[2] *Mayo Clinic Family Health Book*, p. 278.

RAZÃO 3

[1] *Mayo Clinic Family Health Book*, p. 278.

[2] Com base em *The Women's Complete Healthbook*, p. 39; *Mayo Clinic Family Health Book*, p. 290; *Physiology of Fitness*, p. 9.

RAZÃO 5

[1] *Mayo Clinic Family Health Book*, p. 258.

[2] Com base em *The Women's Complete Healthbook*, p. 49.

[3] *Microsoft Bookself* '95, *Encyclopedia,* s.v. "hipotálamo".

[4] As informações nos três parágrafos anteriores baseiam-se em *Health and Wellness,* p. 134.

Joyce Meyer é uma das líderes no ensino prático da Bíblia no mundo. Renomada autora de best-sellers pelo *New York Times*, seus livros ajudaram milhões de pessoas a encontrarem esperança e restauração através de Jesus Cristo.

Através dos *Ministérios Joyce Meyer*, ela ensina sobre centenas de assuntos, é autora de mais de 80 livros e realiza aproximadamente quinze conferências por ano. Até hoje, mais de doze milhões de seus livros foram distribuídos mundialmente, e em 2007 mais de três milhões de cópias foram vendidas. Joyce também tem um programa de TV e de rádio, *Desfrutando a Vida Diária*®, o qual é transmitido mundialmente para uma audiência potencial de três bilhões de pessoas. Acesse seus programas a qualquer hora no site www.joycemeyer.com.br

Após ter sofrido abuso sexual quando criança e a dor de um primeiro casamento emocionalmente abusivo, Joyce descobriu a liberdade de viver vitoriosamente aplicando a Palavra de Deus à sua vida, e deseja ajudar outras pessoas a fazerem o mesmo. Desde sua batalha contra um câncer no seio até as lutas da vida diária, Joyce Meyer fala de forma aberta e prática sobre sua experiência, para que outros possam aplicar o que ela aprendeu às suas vidas.

Ao longo dos anos, Deus tem dado a Joyce muitas oportunidades de compartilhar seu testemunho e a mensagem de mudança de vida do Evangelho. De fato, a revista *Time* a selecionou como uma das mais influentes líderes evangélicas dos Estados Unidos. Sua vida é um incrível testemunho do dinâmico e restaurador trabalho de Jesus Cristo. Ela crê e ensina que, independente do passado da pessoa ou dos erros cometidos, Deus tem um lugar para ela, e pode ajudá-la em seus caminhos para desfrutar a vida diária.

Joyce tem um merecido PhD em teologia pela Universidade Life Christian em Tampa, Flórida; um honorário doutorado em divindade pela Universidade Oral Roberts em Tulsa, Oklahoma; e um honorário doutorado em teologia sacra pela Universidade Grand Canyon em Phoenix, Arizona. Joyce e seu marido, Dave, são casados há mais de quarenta anos e são pais de quatro filhos adultos. Dave e Joyce Meyer vivem atualmente em St. Louis, Missouri.